北村薫

鷺（さぎ）と雪（ゆき）

文藝春秋

目次

装丁・大久保明子
装画・謡口早苗

鷺と雪

不在の父

1

大きな刷毛(はけ)で薄墨を塗ったような空だ。

昨日の土曜こそ、からりと晴れ上がったのに、それが二日と続かない。梅雨時らしく、午後からは、とうとう降り出してしまった。

とはいっても、水滴の撥(は)ねる鋪道から大きなドアの中に入ってしまえば、取り敢えず意地悪な雨からも逃れられる。

淡い藤色の洋装の裾をひるがえし、大理石の化粧板に飾られた螺旋階段を、とんとんと二階の書籍売場まで上る。広い窓からさす午後の光も、こんな天気だから、障子を通したように柔らかい。陽光を嫌う本の背表紙は、むしろ、こういう日を喜んでいるのかも知れない。

雅吉(まさきち)兄さんに、銀座に連れて来てもらった。——本を見たいというのなら、丸善あたりに行くのが普通だろう。しかし近頃のお気に入りは、去年完成した、この教文館だ。

広い室内に高い天井。日本建築なら鴨居にあたる梁(はり)の部分に額が掛かっている。その一枚の、横を向いた白い鸚鵡（おうむ）も、わたしの眼に親しいものになっていた。

「からまつ、からまつ……」

鸚鵡が繰り返すようにいってみた。雅吉兄さんが、

「何だそりゃ？」

わたしは、しばらく前に完結した『白秋全集』の背表紙を指し、

「これ」

「ああ、《からまつの林を過ぎて、からまつをしみじみと見き》か」

「へえ、知ってるんだ」

「馬鹿にするなよ、学士様を」

と、兄さんは指を立て、帽子の先を、つんつんとつつく。ひょっとしたら、中味がいい——と、いいたいのかも知れない。

「落葉松」は、北原白秋の、有名な詩だ。

《からまつはさびしかりけり、からまつとささやきにけり》といった具合。行頭に同じ言葉の繰り返しが多い。それがリズムを作る。口ずさめば、いかにも林の中の小道を歩んでいるようだ。

学校の授業で頭韻の説明になった時、先生がこの詩を暗唱なさった。そうそう、思い出した。あの時、先生は続けておっしゃった。《菜の花》という名詞が繰り返される詩もある——と。

なるほど《NANOHANA》と声に出せば、Nの音が多い。《なにぬねの》は柔らかく、花びらを示すのにふさわしい。《菜の花畑》というぐらいだから、孤高の花というよりは群生するわけだ。となれば、言葉を連ねるのも分かる。なのはな、なのはな、なのはな、という文字の連

鎖が、そのまま花の連なりになる。

《はて、そちらも白秋の詩なのかしら……》と思ったが、どういう題か分からない。おまけに、アルスから出た『白秋全集』は十八巻もある。目の前の棚にあるのは、そのうちの数冊だけだった。

明るい花畑は、瞼の裏をちらりとかすめて消えた。わたしは向きをかえ、海外の写真雑誌に眼を転じた。

何冊か手に取って、横文字を読み取りつつ、風景や人物を眺めていると、

「おい、英公（えいこう）、そろそろ三時だ。お茶でも飲んでいこうか。お前だって小腹が空いたんじゃないか」

という花より団子の提案。それにしてもわたしは、いやしくも《妙齢のお嬢様》。ところが、兄にかかっては《英公》になってしまう。おまけに、いかにもがつがつしているようなことをいわれる。やれやれ。

まあ、それもお茶代のうちと思えば目くじら立てるほどのことではなかろう。

螺旋階段を、今度はくるくると下って、地下の冨士アイスに入った。正方形のテーブルが、幾何学模様を作って、規則正しく置かれている。コップに差さった紙ナプキンの白が清潔な感じだ。いわれて暗示にかかったわけでもないけれど、実際、お腹も空いてきた。紅茶にバターロールを頼んだ。真っ白なエプロンの女給さんが、持って来てくれる。

「古い良さ――っていうのも、勿論あるけれど、銀座には、こういうモダンなお店が似合うわね」

大学教授めいた人が、上で買って来た洋書を開きながら、ゆったりとコーヒーの香りを楽しんでいる。ジュースを飲んでいる親子連れもいる。日曜の午後らしいにぎわいだ。

「そうだなあ。まだ開店から一年と経ってないからな。新妻のごとく新鮮だな」

「あら、お生(なま)をいうのね。――恋人もいないくせに」

「こらこら、そう甘く見るもんじゃないぞ。こう見えても俺なんか、寄って来る女を払うのに苦労するんだ」

「そうかしら」

首をかしげながら、わたしはそこで《一年……》とつぶやいた。

「それがどうかしたかい」

「今月今夜のこの月を――じゃないけれど、《一年経ったら会いましょう》という話が新聞に出ていたわ」

2

「何だい、ラブロマンスかい」

わたしは首を振る。そんな甘ったるい話ではない。

「東京駅があるでしょ」

「うん」

「あの裏側、八重洲橋(やえすばし)。東京湾の潮が引くと、外濠(そとぼり)が浅くなるんですって」

「海から大川から――、まあ、あそこも繋がってるんだろうから当たり前だな」

「そうなったところを狙って、あるルンペンさんが、川底の泥をさらっていたんですって。お金になるものがないかって。そうしたら、きらきらと光る大きなかたまり」

「――大化の改新だな」

一瞬、考えたけれど、

「あっちは鎌足よ。くだらないわね。――でね、《金かっ！》と驚いて掘り出そうとした。ところが、重くて一人じゃ無理。近くにいた二人に手伝ってもらって、何とか上げた」

「まさか金じゃあないだろう」

「それはそうだけど、三十貫はあろうかという――真鍮のかたまりだったの。値打ち物なのよ」

「へええ。どうして、そんなものが川の底に転がってたんだろうな」

「分からないわ」

摩訶不思議である。

「――とにかく、大物過ぎる。そのまま売りにいくわけにもいかないだろうと、荷車借りて、えんやこら」

「まるで『桃太郎』だな」

「ええ、ええ。そんな感じで、警察に持ち込んだらしいの。鬼ヶ島から帰って来たわけじゃないから、拾得物扱いになる。――ところが、そこで巡査が困った」

「――置き場所に？」

「違うわよ。かさばる忘れ物なんか、他にも出るでしょ。それぐらい平気よ」

と、内務省警保局になりかわって、請け合った。雅吉兄さんは、首をかしげる。

「じゃあ、どうして？」

「記録しようにも、拾い主の住所がないの」

三人には、これといった住まいがない。名前しか書けない。

「……ああ、そうか」

「連絡のしようがない。それでね、三人が、今から日時を決めて、一年経ったら、呉服橋の上で落ち合うことになったんですって」

「へええ。お話みたいだなあ」

「でしょう？　――そしてね、揃って警察にやって来る。真鍮がお下げ渡しになったら、お金にして分けるんですって」

「……ふうん。一体全体、どれぐらいになるんだろう」

と、兄さんは現実的だ。

「一人頭、十五円にはなるそうよ」

「ちょっとしたもんだな。そいつを先の頼みにして、何とか一年やっていけるかな」

そういわれると、さらに現実的になる。

「うん。……でも考えると、真鍮を見つけて《これは一人では無理だ》と思った時、すぐ側に、……少なくとも、あと二人は同じことをしていたわけでしょう？」

「そうだな」

「決まった家もないまま、そうやって暮らしてる人って、案外……いるものなのね」

「まあな。――多分、そういうことにも縄張りがあるんだろうな」

現代日本の、ある意味では象徴といってもいい東京駅。威容を誇るルネサンス様式、赤煉瓦の大建築のすぐ裏手で、生活のため泥水に浸かり、川底をさらっては一喜一憂している人達がいるのだ。

わたしは、夏に向かうとはいえ、雨や曇りで肌寒い近頃の気候を思いやりつつ、

「冬になってもそういうことをするのかしら」

「食べられなければ、やるしかない。不景気だからな。――インテリなんかでも、窮迫して、ルンペンになってる人がいるんだぞ」

「そうなの」

「ああ……」

兄さんは何故か、ちょっとぼんやり宙を見た。それから、冷えた紅茶の残りを啜って、続けた。

「……お前達の学校でも見学とかいって、外に出て行くことはあるだろう」

「ええ。――四月は御浜離宮、五月は日光に行ったわ」

一級上の方々は、この間、紅葉山の御養蚕所を拝観して来たばかりである。宮中に入れるのも、わたし達の学校に、皇族華族の方々がいらっしゃるからだ。

御養蚕所を紅葉山に移されたのは皇太后様、今、お守りになっていらっしゃるのは皇后様である。蚕は桑の葉を食べて、絹を作る。女子が拝観に行くには、うってつけのところだろう。

「俺達も、社会見学に行くことはある」

雅吉兄さんは、現在、三田にある私立大学の大学院に通っている。そんな年になって、学年揃

っての見学会などあるのだろうか。わたしは、上目遣いになって、

「よからぬところに――、じゃないの」

兄さんは手を横に振る。

「馬鹿だなあ、真面目な話だ。社会事業研究会というのに入って、一円払う。すると、現代の暗黒街が見学出来るんだ。まあ、見られる側からすれば、《見学》じゃなくって《見物》。物好きな金持ちの、物見遊山にしか思えんだろうがね」

「どこに行ったの」

「浅草の裏の顔を覗いたよ。歩いて、あれこれ見た。無料宿泊所から、十六銭・二十八銭の宿泊所まで行った。食事の方は、一番安くすますには、おかずなしの飯だけ。――二銭だ」

「……」

「そこで、案内の人がいった。ひとつ、はしご段を踏み外すと、落ちるのは簡単。こういうところにも、案外な学歴の人がいたりするってな……」

雅吉兄さんの口調が、のろのろしたものになる。雨宿りをして、でも降り止まず、いっそ行ってしまおうかどうしようかと、迷っているような、優柔不断な顔付きだ。

続いた沈黙を、二人の会話の切れ目と思ったのだろう、

「失礼ですが、花村のご兄妹ではございませんか」

と、声がかかった。

目を上げると、地味だが仕立てのいい背広を着た青年が立っていた。鼈甲縁(べっこうぶち)の眼鏡をかけている。

3

「さようですが――」

と、兄が受けた。青年は、眼鏡の奥の眼を細くし、

「やはり……。あ、これは申し遅れまして、失礼いたしました。川保(かわまた)でございます」

「川俣……」

「はい。一昨年の夏、軽井沢で……」

思い出した。

軽井沢で忘れ難い出来事があった。その時、万平(まんぺい)ホテルの、夜のテラスでお会いした方だ。確か、子爵家のお坊ちゃんだった。こう見えても記憶力は、不必要なほどにいい。初めて聞いた時《早口言葉のようだ》と思った、その方の肩書が、潮の寄せるように蘇って来た。わたしは、その言葉を、波が打ち返すように口走っていた。

「――農林省鳥獣調査室嘱託」

焦りながらいうと、《……室嘱託》の《室》の辺りが、特に発音しにくい。川俣さんは、にっこり笑って、頷く。

「鳥獣……？」

と、雅吉兄さんはまだ首をひねっている。わたしが少し説明すると、《ああ、ああ》と首の振り方こそ縦になったが、本当に思い出したのかどうか。

川俣さんは、にこやかな笑みを絶やさぬまま壁際の席を指し、

「あちらで一服しておりましたが、どうも、あの折のご兄妹のように思えまして——」

「はい」

「それでしたら、お伝えしたいことがあるのです。ちょっと、よろしいでしょうか」

断る理由はない。何なのだろう。川俣さんは、《君、こちらに移るよ》と女給さんに眼で合図し、空いた椅子に腰を下ろした。

「ご承知の通り、わたくしの専門は鳥です」

「はい」

「同好の士が、集まりまして、この度《日本野鳥の会》というのを発足させました。先だって、まず探鳥会を催したところ、柳田国男、北原白秋、金田一京助……などという、各界の方々がお集まりになりました」

おお、白秋先生まで。詩人は、自然に興味を抱くものなのだろう。わたしは勢い込んで、

「ちょうど、上で『白秋全集』を見てきたところです」

「それはそれは」

兄が、この辺で口をはさまないと沽券にかかわると思ったのか、

「探鳥会といいますと、——山林に分け入って、鳥の声を聞いたり姿を見たりするわけですか」

「さようです、さようです。その夜、旅館である方の持って来たレコードを聞きました」

「ほう？」

「これがですね」と、川俣さんは間をとってから、「——ブッポウソウの声の録音なのです」

「あ……」

と、わたしは声をあげた。川俣さんは満足げに頷き、

「ご関心がおありでしょう?」

軽井沢で、会話を交わすきっかけになったのが、それなのだ。川俣さん達が、近くの席で《世間でブッポウソウと呼ばれている鳥と、そう鳴く鳥は、別ものだ》と話していたのだ。富士山が実はもうひとつあるといわれたようなものだから、こちらから《本当ですか!》とばかりに声をかけたのだ。

「ブッポウソウは、我々の仲間でも、今、話題の鳥なのです。そのレコードを持って来たのが、実は前橋放送局の局長さんでしてね。この方が、前々から野鳥の声の実況中継に、情熱を燃やしていらっしゃる。前任地が長野で、戸隠山(とがくしやま)の鳥の声を全国中継しました」

戸隠山! わたしは、思わず身を乗り出した。

「それなら聞きました。確か、——去年の今頃でしたわね」

「ご存じなら、話は早い」

川俣さんはわたしに頷き、雅吉兄さんに、

「いかがでした?」と訊ねたが、兄の返事は、

「あ、は、はあ……」

煮え切らない。確か、あの日の放送は早朝だった。父も母も起きていたが、兄さんだけは寝坊して聞き逃した筈だ。

「ラジオから流れる鳥のさえずりが、まさに今、山にいるかのようでした」

と、わたしが助け舟を出す。

「そうでしょう。評判がよかった。大成功でした。その中継を指揮した方が、今度、前橋放送局に転勤されたわけです。――ところで、群馬には迦葉山(かしょうざん)という山があります。これが、江戸時代からものの本にも《上野(こうずけ)に迦葉山あり》と記されている、ブッポウソウの名所なんですよ」

わかって来た。

「つまり今度は、ブッポウソウの全国中継ですか!」

「はいはいはい。二十六、二十七の両日にわたって挑戦します。夜の七時半から八時までが放送時間です」

「素敵ですわ。いながらにして、群馬の山のブッポウソウが聞けるなんて」

川俣さんは、顎の辺りを撫でながら、

「ご期待下さい。関心をお持ちの方には、ぜひ聞いていただきたい。そこで不躾(ぶしつけ)ながら前宣伝をさせていただいた訳です。ただ……」

途中で声が曇る。わたしが聞き返した。

「――ただ?」

「放送の許可を取るのに手間取りましてね。本来なら、もう半月ほど前にやってもらいたかった」

「時期はずれなのですか」

「ブッポウソウを聞くなら、六月の初めが最適です。いささか遅い。それに、今年は例年より寒いでしょう。ブッポウソウは冷えるのを嫌う。そういう年には、早めに山を下りてしまう。もともとは深山幽谷(しんざんゆうこく)にいるのですが、里近く来ることさえある」

「なるほど」と雅吉兄さんが受け、「そうなると、山にマイクを用意しても肩透かし――というわけですね」

「はい」

「もし、鳴いてくれなかったら、先程、お話のあったレコード――録音を使うわけにはいかないのですか」

何だかカンニングのような提案だ。川俣さんは、論外という顔になり、

「それでしたら、いつでも出来ます。珍しくもない。あくまでも値打ちは、《実況中継》にあるのです」

「ああ、――そうですねえ」

「歴史的な放送となるでしょう。何としても成功させたいものです」

鳴かぬなら――、というホトトギスの歌がある。ブッポウソウが鳴かなければどうするか。殺してしまうわけにもいかない。自然の鳥では、鳴かしてみせる工夫もなかろう。さりとて、鳴くまで待っていたら放送時間が終わってしまう。

兄さんは、難しい表情をして、

「賭けですか」

「そうですね。戸隠山の時は、ただ《野鳥の声》を聞かせればよかった。機材に間違いさえなければ放送出来たわけです。今度は、桁違いに難しくなります」

わたしは、願いをこめていった。

「何とか、ブッポウソウが山にとどまっていてくれるとよろしいですね」

「本当です。放送のためにもそうですが、嫌な言い伝えもありますのでね」

「は？」

「昔からいうのです。ブッポウソウが、人里で鳴く年は――凶作だと」

4

川俣さんは、その件を伝え終わると《お邪魔しました》と席を立った。

「大変なのねえ」

「まあ、仕事となれば楽なことはない。その放送局の何とかさんにしても、戸隠山の成功は勲章物だろう。しかし、今度しくじれば、掌を返したように、責任を取らされるんだろうな」

　理不尽だ。

「そうかしら」

「そりゃそうだろう」

「だって相手は鳥よ。鳴かないのは何も、担当者のせいじゃないでしょう」

「おいおい。全国放送っていうんだぜ。予算だって、かなり取ってるに違いない。子供じゃないんだから、《お生憎様、鳴きませんでした》じゃ通らないよ。それが男の世界だ。見通しが甘かったということになる。――派手なことをやれば、それだけやっかむ奴もいる。失敗すれば叩かれる。軍人なら、腹を切るところだ」

男とは、どうもわけの分からない、子供のような生き物だ。

「それにしても、思いがけない再会だったわねえ」

「そうそう……思いがけない出会いといえば……そういうことを考えていたところなんだよ。いや、あまりに馬鹿馬鹿しいことなんだが……」

兄さんは、川俣さんが現れる前の表情に戻った。

「何なの？」

「滝沢子爵に会ったことがあるか」

「えっ？」

藪から棒だ。

「お前、学校で桐原侯爵のお嬢様と、同じ組だったろう。お宅にお呼ばれもしていたよな」

「ああ、滝沢……。道子さんの……義理の小父様……かしら」

滝沢家は、大名華族の名門である。同じ家系で、九州に領地のあった滝沢侯爵家がある。今、兄さんがいったのは山陽筋の滝沢家で、兄が伯爵、弟が子爵を頂戴している。こちらのお姫様が、桐原少将の末の弟君、三男か四男に当たる方と結ばれていた筈だ。

道子さんからいえば、滝沢子爵は、叔父様の奥様のご兄弟ということになる。——ああ、それにしても、華族様の婚姻関係は、入り組んでいてややこしい。

「そうだ。滝沢吉広……とかいったな。桐原家の園遊会辺りなら、昔から顔を出しているんじゃないか。親戚だから勿論だが、それでなくても、格式のある大名仲間だ。お呼ばれの名簿に載らないわけがない」

「まあ、そうでしょうけど、大人の園遊会とわたし達子供の集まりは日が違ったのよ。――兄さんは、吉広様のこと、覚えてるの」

と、こちらから逆に聞いた。

「うん。――それがね、俺だって、どこだかのパーティで、一度会ったきりなんだ。もう、四、五年前のことになる。でも、不思議に忘れないんだな、この人のことは。帝大の理学部で、植物の研究をしているとか――そういうことを、ちらりと聞いた。だが、話の中味じゃないんだよ。何というか、ただ黙って立っていても、こちらが引き込まれるような、妙な魅力のある人だった」

「へええ」

「世俗の外にいるというか、邪気がないというか、――それが、ただのぼんくらのお坊ちゃまというところを越えてるんだ。どうしてだか、こちらが身の汚れを告白して、跪(ひざまず)いて謝りたくなる。人柄もまた才能の一部だとすれば、とんでもない才能のある人だと思ったよ」

「つまり、――どことなく、神様みたいな人なのね」

兄さんは、ぽんと手を打ち、

「それだよ。話しぶりから、面長で、眼と眼の間がちょっと離れてて、そういう感じが全て、おごそかなんだ。新興宗教っていうのがあるだろう。《誰が、あんなもの信じるのか》と思っていたけど、考えれば、滝沢子爵にも、そういう気配が――《神様》になってもおかしくない気配があったなあ」

感慨しきりである。わたしは、ちょっと焦(じ)れて、

「で、その《神様》がどうかしたの？」

「うん。それが馬鹿馬鹿しい話なんだ」

わたしは、雅吉兄さんの暗黒街探訪の話を思い出した。

「まさか……？」

「その《まさか》さ。浅草の暗黒街を歩いているルンペンの中に、どう見ても滝沢子爵みたいな人がいたんだよ」

5

名門の子爵様がルンペン——というのは、妄想にしても、度を越している。おまけに、神様のよう——となれば、ロシアかどこかの民話にでもありそうだ。

「話をしたの？」

「いや、遠くからちらりと眺めただけだ。はっと思った時には、向こうが背を向けた」

そのまま姿を消したそうだが、他人の空似としか思えない。

奇妙な話はそれで打ち切りになったが、一方、期待されるのは迦葉山からの実況中継である。学校でも友達に、《ねえねえ、ぜひ、お聞きになって》と宣伝してしまった。

まずは二十六日。ラジオから流れて来たのは、鳥類学者の講演だった。ブッポウソウが鳴き出したら、すかさず切り替わる予定だったが、ついにその日は、講演のみで終わった。責任者の局長は、さぞ胸を痛めていることだろう。

翌二十七日には、《もう後がない》と、どきどきした。曇っていた空も、この日の午後には、晴れ間を見せた。教室のガラス窓からきらきらと差す光を見て、ほっとした。同じ関東でも、群馬と東京では違うだろう。それでも、よい兆しに思えた。

夕食を終え、居間の椅子に母と並んで腰を下ろした。

さすがに、二日続けての講演とはならず、前橋放送局のスタジオから、浮き立つような調子の八木節の演奏が送られて来た。土地に八木節保存会というのがあるらしい。しかし肝心の迦葉山からの電波は、うまく届かない。うちの居間に響くのは、《ハアアー》という元気な声と、太鼓の音ばかり。

お茶を運んで来てくれたお芳さんが、顎の先でリズムを取っているから《調子のいい太鼓ね》といったら、《八木節は樽を叩くんでございますよ》と教えられた。何事も勉強である。

「ブッポウソウには、ならないわね」

母がつぶやく。

普通に聞いている分には、陽気な響きだ。しかし、《後、何分あるのだろう?》などと指を折っていると、その調べに追い立てられるようで、落ち着かない。

そうこうしているうちに、たちまち半時間が過ぎてしまった。アナウンサーが、まことに丁重なお詫びの言葉を述べ、記念すべき実況中継が終わった。

戸隠山から野鳥の声を送ったのが大勝利だとしたら、今度は大敗北だ。

「がっかりだわねえ」

と母にいわれて、

「すみません」

と、わたしがあやまってしまった。

運命の目は、時により丁とも出れば半とも出る。《賽は投げられた》と叫び、ルビコン川を渡ったジュリアス・シーザーは英雄となった。だが、ひとつ間違えば反逆者として、無残に処刑されていただろう。

実況中継の風雲児、前橋放送局長の首筋に、今夜の迦葉山の夜風は、さぞ冷たく吹いたに違いない。

「この方、この方――」

と、翌日、クラスのお友達がわたしの周りに寄って来た。《この方》とは《あなた》という意味である。無論、《ブッポウソウ》の《ブ》の字もなかったわね――と責められたわけである。いやはや。

6

七月に入ってしまえば梅雨も明け、さすがに夏らしくなってきた。そして授業も短縮となり、心も軽くなる。

十七日の三時間目からは、外国語会だった。その名の通り、英語かフランス語で朗読と暗唱を行う。

初めの言葉と終わりの言葉は、高等科のお姉様がなさる。後期二年からは、七人が選ばれて講堂の壇上に立った。かくいうわたしもその一人。多少の身振り手振りなども加えつつ、華厳の滝と中禅寺湖の美観について、英語で語った。

終わると、さすがにほっとする。明後日は終業式だし、その後は長い夏休みだ。

解放感から、紐のほどけたような顔をしていると、桐原の道子さんがふわりと寄って来て、お宅に招いて下さった。うちには、あちらから電話を入れておいてくださるという。渇いたところに水を出されたように、二つ返事でお受けした。

桐原邸では、お茶をいただくのもそこそこに、お庭に出た。

大きな池がある。橋を渡り中の島に着き、しばらく水面に映る滴る緑やさざ波の様子を眺め、そこからまた橋を渡って、ゆるやかな坂道を上った。

戦国時代、いや室町時代からあるような木々の間を抜けて行く。鬱蒼と茂った枝々の間から見上げる空は、小さく、青い端切れのようだ。じわりと暑い七月である。汗ばんだ肌に、ひんやりとした風が快い。遠くで滝の音がしている。鳥の声が、あちこちから降って来る。

日本でも有数の名家だけに、桐原家では何もかもが桁外れだ。築山というよりは、自然の起伏を生かしたものだろうが、日光の山奥にでも入ったような気分になる。

道子さんは、前を向いたまま、眠そうな声でいった。

「英子さんは、新聞などもよくお読みになるのよね」

わたしは、横に並んだまま、

「よく——というほどでもありませんわ」

服装をわたしに合わせてくれたのだろう。道子さんは、学校から戻ったままのセーラー服である。お揃いだ。靴なので、坂道も歩きやすい。

「この間、新聞に、新興財閥の台頭というのが出ていたわ」

「はあ」

「新しいコンツェルンが、手っ取り早く軍部と結び付いて、大変な力を付けて来ているんですって。……総帥になる持株会社は鵜匠のように、何十という子会社を操って、巨大な利益を上げている……」

後半の方は、何かを読み上げているような調子だった。わたしは、《はあ》という生返事を繰り返した。その心を読んだように、道子さんは、ことことと笑った。そして、おかしげにいった。

「そんなことを目論んで、失敗なさる方もいらっしゃるけれど……」

悪戯っ子のような調子だった。

日の出の勢いといわれた瓜生財閥の嫡男豹太氏と、近い将来の陸軍大臣といわれる桐原少将の次女道子さん。二人の婚約とその解消は人の知るところだ。しかし、さすがに面と向かっての話題には、誰もしない。遠慮する。

瓜生財閥は、当主であった牙寅こと、寅之助氏の個人的声望によって、成り立っていた。その偉大すぎた父の急死と共に、まことにあっけなく、瓜生の家は鵜匠としての束ねる《魔力》を失った。

同時に、豹太氏の人間としての至らなさも、様々な形で露呈し、婚約は意味を失い、解消となった。

わたしは思った。道子さんは、何か個人的なことを語りたいのだろう、と。

林を抜け、高台に出た。目の下に、池の一部が光り、広がっている。広大な桐原邸と、さらに奥に広がる芝生、その先に各国大使なども折にふれていらっしゃる、宮殿のような洋館があった。

七月の日は長い。展望する風景は、まだまだ影も濃く、木々や建物は地にくっきりと浮き出て見えた。

道子さんが、いった。

「園遊会やパーティでも、色々な男の人と話すようになったわ」

石段を上ると、さらに一段高くなったところに東屋（あずまや）があり、座れるようになっていた。並んで腰を下ろす。

遠くに小さく、富士が見える。そのように作ってあるのだろう。贅沢な借景だ。空が夕焼けに染まれば、さぞ美しかろう。

7

道子さんは、普通の財閥――というとおかしいが、以前からある、日本でも指折りの財閥の名をあげた。

「そちらにお勤めになっている、ある子爵様と話したわ。ところが、その方、少し変わっていらっしゃるの」

わたしが首をかしげると、道子さんが続ける。

「帝大を優秀な成績でお出になって、そちらに入られたわけ。要するに重役候補よ。お家柄からいっても、無論そうなるでしょ。ところが、大学の先輩の、ある方から感化をお受けになったのね。《三つ子の魂、百まで》っていうでしょう」

「ええ」

道子さんは、やや声をひそめ、

「その先輩が、——この方も華族で、何かのお集まりの時、お宅にいらしたことがあるんですって。そして、どういう話の流れでか、ご自分の進路について話された。まだまだ、お小さかった子爵様は、純朴な子供の耳で聴いた」

「——どういうお話を？」

「《僕は財閥に籍を置いたが、中央に進み出る気はない。炭鉱の労働者の生活改善を目指したい》って」

社会の現実に目覚めた華族様というのは、新聞や雑誌などでは、どちらかといえば、からかいの種になる。特に昨今では、非合法な活動に手を貸した若い方々が、次々と逮捕されている。わたし達の先生方が、最も恐れているのも、この辺りのことだろう。——世間知らずの雛鳥は善導しなければならない。それが、先生方に課せられた至上命令だ。

うかつに口に出せる話題ではない。少年に向かって、昂然とそういうことがいえたのも、おそらくはひと昔前、大正という時代の空気の中にいたからだろう。

道子さんは続ける。

「それに感銘を受けたのね。重役になりたくはない。どのような形にしろ、上に立つより働く人に眼を向けられるような部署を希望したいっておっしゃるの。……革命とか叫ぶ人からすれば、地道で物足りないんだろうけど、珍しい誠実さを感じたわ。……お小さい頃、一回聞いたことを、胸にちゃんと取っておくところも含めてね」

道子さんは、胸元の記章をもてあそびながら、こちらにというより、自分にいい聞かせるように、

「何だかわたし、自分が薄い布の上に映されて、頼りなく消えていく映画の像のようにしか思えなかったの。足の下に、確かな地面がないように。……でも、《愚公山(ぐこうやま)を移す》というでしょ。わずかの土しか運べなくても、そういう方のお手伝いが出来たら、自分なりに、生きてる意味が見つけられそうな気もしてきた」

風が渡り、水鳥の群れが、眼下の池でにぎやかな羽音を立てた。

「それは――、その方と結婚なさりたいという――」

道子さんは、スカートにつつまれた脚を揃えてすっと伸ばして宙に浮かす。両腿をぽんと叩く。くっくっと、首を体育の準備運動のように左右に曲げる。

「うう……ん。英子さんに初めて話したの。自分の気持ちだって、……はっきりと、まとまってはいなかった。ぼんやりした、マーブル模様のクリームみたいだった。話してるうちに、何となく、マーブル模様が溶けて揺れて、文字になったような……、そんな感じかな」

「そう……」

「その気持ちはね、今、ここに座っての、本当の気持ちだけど、……うちに入って、……桐原のうちの屋根の下に入ってしまえば、また違うものね」

華族の、まして名門の娘が、自分の意志で結婚することなど、普通はない。父や兄の都合で、

《ひと目見たこともない人》と結婚させられる例さえ珍しくない。ただ、これと思った相手が相応の家柄で、あちらからうまく話を運んでくれれば可能性はある。絶対に無理とはいえない。双方の父親がどんな性格の人かによっても、事態は大きく違ってくる。

ともあれ、だからどう――、と軽々しく口は切れない。桐原家の、大名華族中でも指折りという家格が、何をいうにしても高すぎるのだ。

並んで、しばらく黙って、西の空を見ていた。口をきかなくても、道子さんがわたしに、そういう、自分でもつかみようのない気持ちを話してくれたことが、そして、わたしがそれを聞いたということが、声のない会話を続けているような気持ちにさせてくれた。

8

何かアハハと笑って楽になれるような話題はないか。記憶を探ると、冨士アイスで兄の話した、《馬鹿馬鹿しい話》に行き当たった。

義理の小父様のことではあるけれど、あまりに現実感がない。罪のない笑い話になるだろう。

「いつだったか……」

そう切り出した。不風流なカラスが、どこかで鳴いた。

道子さんは笑わなかった。

「滝沢の小父様……」

そういって、昔を振り返る瞳になって、続けた。

「……わたし、子供の頃は特に人見知りだったの。でも、園遊会などでお会いしたときも、滝沢の、下の小父様にだけは妙になついていた」

下というのは、上に兄の滝沢伯爵がいるからだろう。

「兄弟でも、お兄様とは随分と違われるの？」

「それはもう。伯爵様の方は、鋤（すき）のような形の顔で、いつもピリピリなさってる。神経質で、近くに行くのが怖いようで……」

「子爵様は？」

「それがねえ、格別、何も話さないうちから、不思議に、こちらの苦しいことを分かって下さるような……そんな風に思えてしまう方だったわ。穏やかな海のようなお方だった」

聞いているうちに妙な気分になった。語られるのが、過去形だからだ。

「近頃は、お会いになっていらっしゃらないの？」

「そう……、お会い出来れば……」

道子さんの心の動きはよく分かった。幼い自分の相談にも、心から応じてくれた人に、様々な迷いを打ち明けてみたいのだ。そんな思いから、ふっと我に返って、道子さんはいう。

「……もう、お見かけしなくなってから、五、六年になるわね」

なるほどおかしい。雅吉兄さんは、《四、五年前に会った》といっていた。ということは、二人揃って、この五年くらいは顔をあわせていないわけだ。

「そうすると、子爵様には――」

と、いいかけると、道子さんがさえぎった。

「もう、小父様は子爵じゃないの」

「えっ？」

道子さんは改めて、近くに人の気配のないのを確かめると、

「去年の暮れ、皇太子殿下がご誕生になったでしょう」

「ええ」

「ひと月ばかりは、新聞もご奉祝の記事一色だったわね」

「ええ、ええ」

「あの時、滝沢の家で、ご長男の吉章(よしあきら)様が襲爵なさったの。時期が時期だったでしょう。これといった報道もされなかったわ。誰も気にかけなかった」

「襲爵って――吉章様は、お幾つなの？」

「七つ……だと思うわ」

9

まだ子供ではないか。

「どうして、そんな？」

つい口にしていた。詮索すべきことではない。しかし、あまりに不自然だ。

「分からない。……わたしは、小父様が、何かのご病気なのだと思っていた。どこの家にも、隠しておきたいことのひとつやふたつあるでしょう」

頷くしかない。

日が、落ち掛かって来た。

道子さんが、やがて、ぽつりぽつりと語り出した。

「小父様は……勝手ないい方をすると、わたしのお気に入りだったのよ。その方のお顔を見なくなった。洋行なさったという話も聞かない。母に聞いても、曖昧(あいまい)に言葉を濁してしまう。……思いついて『紳士録』を開いてみたの。お姿を見かけなくなって、一、二年経った時のことよ。……そうしたら、いかにも変だった」

「どうなっていらしたの？」

「小父様の住所だけが、滝沢の家からはずされて、小石川区表町(こいしかわくおもてちょう)に移っていたの」

「それは……」

「わたしは、そこで、《ああ、どこかのお具合が悪いから、離れてご静養なさっているのだな》と思ったわ。それ以上つつくのは、たしなみのないことでしょう？」

「ええ、確かに」

「今度の襲爵の件を聞いて、それが確かになった気がした。おつむの具合でもお悪いのか、お可哀想だと思ったわ。でも、今のお話を聞くと――」

顔をまじまじと見られて、あわてた。

「そんな。――他人の空似よ」

「でも、お兄様は真剣におっしゃったのでしょう？」

「それはそうだけど、もともと、そそっかしいから」

「でも、……表町のお宅に、小父様がいらっしゃらないとしたら……」

「家出して、ルンペンを――なさっていると、おっしゃるの？　ご家族とも絶縁なさって？　そんなことをする理由がないわ。お子様が今、七つとしたら、その頃は二つぐらいでしょう？　可愛い盛りよ。お若い奥様もいらしたわけでしょうに」

あまりにも法外な話だ。

「小父様が……ご自分でも、どこの誰なのか分からなくなっていたら……」

「え？」

「日露の戦役の時など、それまでの記憶をなくす人が出たというわ。小父様は、帝大に通って、植物学の研究をなさっていた。その途中で何か事故があったとしたら、……頭を打たれて記憶をなくしたとしたら、どう？」

「それは――」

「何かがあって、昏倒なさっている時、お金や身元を示すものを抜き取られたら、……帰りようもないでしょう」

「だったら、まず警察に行くんじゃないかしら」

道子さんは、影絵のように輪郭を浮かべ出した富士を見つめ、

「……傷ついたところを親切な人に助けられて、介抱される。仲間のいるところに連れて行かれる。そのまま、そこで生活を続けているかも……」

そう聞くと、宮中の生活から一転して波乱の境遇に落ちたエドワード王子の物語を思い出した。

道子さんは、すっと立ち上がった。向かいの空は、藤色に染まり出している。

「まあ、それは極端な考えでしょうけれど……でも、小父様が消えてしまったのが、わたしにはずっと不思議だった。……そこで、今のようなお話をうかがうと、ただの偶然とも思えない」

そして、こう付け足した。

「……もうすぐ夏季休業。そうなったら、お宅のお車と、あの運転手さんをお借りしたいわ。こっそり、小石川区表町まで連れて行ってもらえないかしら。ね、……親戚の娘が、夏の休みにふと思い立って、懐かしい小父様を訪ねても、不自然ではないでしょう？」

10

わたしが学校に送り迎えしてもらう車は、フォードである。そのハンドルを握っているのが、日本ではまだ珍しい女性運転手。才色兼備という言葉が制服を着たような別宮（べっく）みつ子さんである。わたしは、親しみをこめてベッキーさんと呼んでいる。

そのあまりの博識ぶりを、いぶかしく思わないではなかった。だが、ある胸の苦しくなるような事件によって、わたしは、ベッキーさんが学問の家に育ったことを知った。その才は、大学教授であったお父様譲りのものだった。

お父様が亡くなられた後、関係者の何人かは日本を離れた。ヨーロッパへ行かれた方もいる。ベッキーさんは、わたしの父の後援でアメリカの大学に行った。父は、別宮教授の学識とお人柄に傾倒していたらしい。

帰朝したベッキーさんに、父は《どんな職種にでも世話をする》といった。だが、ベッキーさんは、そのうちにふと話題になった《わたし》に関心を持った。

——ご無理を申し上げてよろしければ、これから新しい時代を歩もうとしているお若い方のお側にいて、その歩みを見守りたいのです。

それがベッキーさんの結論だった。父がまた、驚異的なほど柔軟な頭の持ち主だった。家庭教師という、月並みな回答を用意しなかった。あれこれ協議した末に、身近であり、二人だけで話す時間も確実に取れる、お付き運転手という結論が出た。

いうまでもないけれど、《親》であるわたしの父が、そういう答えを出したのだ。いかに、ベッキーさんが信頼されていたかが分かる。

さて、《夏季休業になったら》といっても、のんびりしていたら、道子さんもわたしも、軽井沢に行くことになってしまう。これは、家の年中行事だから動かせない。

終業式が終わるのを待って、すぐ行動することになった。

「桐原様——」

車が坂を上り、お寺の横にかかった時、ベッキーさんがいった。

「……はい？」

「お教えいただいた住所なら、この先になります」

道子さんはわたしとは違う。桐原侯爵家の御令嬢だ。ごく限られたお宅に伺うほか、買い物にもお出にならない。お金というものを使ってみる機会は、学校の購買部と夏の軽井沢で得られるぐらい。そういうお方だ。

遊びに来ようといっても、本来なら桐原家のお車で、我が家に送迎されるのが筋だ。そこをどう話をつけたか、わたしの方から桐原邸までお迎えにうかがい、うちのフォードに同乗してくることにしてしまった。

——道子さんには、こうと決めたら一路邁進（まいしん）する、芯の強いところがあるのだ。

そして車は、今、侯爵令嬢の目論み通り、小石川区表町に差しかかっていた。

ベッキーさんは車の速度を緩める。コールタールで黒く塗られたゴミ箱の前を通る。閑静な住宅地に入った。

竹垣の家があり、その先に、かなり高めの板塀の張り巡らされた屋敷が見えた。庭には塀に触れるほどに樹木が並んで植えられ、密生した葉が塀の上から、濃い緑の煙がもくもくと道路側にこぼれるようにはみ出している。木々の目隠しは、この辺りにしてはやや広い家をぐるりと取り囲んでいるらしい。誰かが電柱などに登って、中の様子をうかがおうとしても難しい。

——ここか。

と、そのたたずまいから感じてしまった。案の定、ベッキーさんがいう。

「昨日、下見に参りました。表札は出ておりませんが、他にそれらしいところはなく、住所もこちらでございます」

「分かりました」

道子さんの言葉に迷いはない。こう続いた。

「——門前に止めて下さい」

「よろしゅうございますか」

「ええ」

フォードは、謎の屋敷の前にゆるゆると滑り込み、疲れた牛が休むように止まった。蟬が鳴いている。

「降ります」

と、道子さんがいった。

11

白く乾いた道から、門へと短い石段を上る。

わたし達は単の夏の着物。道子さんが着ているのは、淡い青磁色の地に可憐な枇杷の花の模様。白い帯に水玉が散っている。並ぶと、わたしの着物の朝顔が月並みに見えてしまう。

制服のベッキーさんに先導され、閉ざされた門の前に立つ。閂がかかっているらしい。ベッキーさんが、戸を叩いた。しばらくして、石畳を踏む足音が聞こえ、強情そうな老婆の声が、内から《誰か》と聞いてきた。

道子さんが、即座に応じた。

「桐原侯爵家の道子です」

普段のとろけるような声ではなかった。家格を感じさせる凜とした響きであった。

内で、はっと息を呑む気配がした。

「扉越しに話は出来ません。お開けなさい。それとも、わたくしを、――この日盛りに立たせておく気ですか」

声が通行証だという勢いである。

「お、お待ちを——しばらくお待ち下さいませ」

うろたえた足音が遠ざかり、ややあって、今度は重厚な老人の声に替わった。

「お待たせいたしました。こちらをあずかっている者でございます。どういうご用件でございましょう」

「滝沢の小父様には、小さい頃から可愛がっていただきました。爵位からもお離れになり、今はいささかご自由になられたかと存じます。通りがかりで失礼ではございますが、ぜひ、お顔を拝見し、一言挨拶だけでもさせていただきたいのです」

わずかなためらいの後、声が答えた。

「……若御前様は、あいにく只今、出ていらっしゃいますので……」

まずい答えだった。道子さんは、容赦しない。

「それでは、いつお帰りでしょう。いつ幾日（いつか）とお教えいただければ出直してまいります」

声は黙った。

屋敷を包む緑の中から聞こえる蟬の声が、一層、やかましくなった。風が渡る。

黙考の末の返事は、《今しばらくお待ちを》というものだった。足音が、先程の老婆と同じく、遠ざかった。

「また、別の誰かが出て来るのかしら」

と、わたしがいう。道子さんが首をかしげる。一段下にいたベッキーさんが、

「失礼ながら——」

「ええ」

「どこかにおうかがいを立てるとすれば、滝沢の家ではないでしょうか。何か特別のわけがあるものなら、不測の事態に備え、電話を引いておくこともあるでしょう」

道子さんは、ベッキーさんを知っている。《ただ者ではない》ことも了解している。

そこで《前以て小石川の転居先を調べてもらうため、ある程度のことを話していいか》と確認してある。使用人風情が口を出すとは、といぶかることはない。《なるほど》と頷く。

ベッキーさんは涼やかに続けた。

「いずれにしても、長くはかからないでしょう」

「どうして」

と聞くと、

「秘密があるなら、目立たぬのが一番。門前の招かぬ客は、すこしでも早く去らせたい筈です。急ぐでしょう」

その通り、空の雲をぼんやり眺めているうちに、門がわずかに開いた。白髯（はくぜん）の老人が顔を出し、丁重に頭を下げる。

「お待たせいたしました」

ことはベッキーさんの考えた通りに進んだ。その件について、本郷の奥方様が——とは即ち、吉広様の奥様だが——直接お話しなさりたい——とのことだった。

滝沢邸は本郷。小石川からは、間近である。

フォードが本郷の滝沢邸の車寄せに入ると、すでに用意は整い、出迎えの人が待っていた。わたし達は玄関に上がり、ベッキーさんは、指示をされ、車を動かして行く。大きな椎の木が立っていて、その角を曲がった向こうに、車を停めて置く場所があるらしい。

ひんやりと黒光りのする大玄関から武具の飾られた廊下を抜け、わたしは応接間に通された。茶菓が出される。道子さんは奥で、お話を聞かされているようだ。

長いとも短いともいえる時が経ち、道子さんが戻って来た。何事もなかったかのように微笑むと、

「参りましょう」

と、いった。

12

大分、時間を使ったので、うちには寄らず、桐原邸に戻ることにした。

「英子さんのお宅は大丈夫?」

「ええ。《場合によっては、道子さんがいらっしゃるかも》と話して来たの。帰らなければ、ずっと桐原様のところにいたと思うわ」

車中で交わしたのは、そういう会話だ。吉広様のことにはならなかった。道子さんが語らなければ、よその家の私的な秘密だ、こちらから問うことはない。

桐原邸では、道子さんのお部屋に入った。わたしの部屋の四倍はある。広さに見合うような、大きなペルシャ絨毯が敷かれている。洋画の掛かった下に、長椅子が置いてある。そこに並んで

座った。

サイダーが出された。飲んでしまうと手持ち無沙汰になる。わたしから先にいうべきだと思って、

「おっしゃらなくて、よろしいのよ。ご内聞になさりたいことなら」

道子さんは、ちょっとサイダーのコップをつつき、

「確かに、《誰にも話さぬように》と釘を刺されたわ」

「でしたら……」

道子さんは、すっと顔を上げ、

「そういうわけにもいかないでしょう、この成り行きでは。……今日、わたしの方から頼んでお付き合い願ったのですもの、英子さんにだけはお伝えするわ」

受けようがなくて黙っているわたしに、道子さんは、ゆっくりといった。

「……神隠しなんですって」

「えっ？」

「古いお屋敷には、どこにもそういう不思議な言い伝えのひとつやふたつ、残っているものだわ。お化けイチョウとか、池に身を投げた女の幽霊とか。……でも、まさか、この現代に、そういうお話を聞くとは思わなかった」

わたしは、首をかしげつつ、

「そうすると、吉広様が、どこかで——溶けるように消えた、とおっしゃるの」

「そうなの。五年ばかり前、丁度、うちの小さい叔父と、滝沢の家の方が結婚なさった。……ま

だうちにいた叔父が、外に出て一家を構えられた」

「ええ」

それで桐原家と滝沢家は、親戚になったわけだ。

「当然のことながら、お使者のやり取りもあった。こちらから、叔父が挨拶に出掛けたこともある。事件は、その時に起こったの」

その日に、子爵様が姿を消したというのか。

「……賓客をもてなす役は、当主の伯爵様。弟の吉広様は、普段通りに大学に向かわれた。具合の悪いことに、その時刻と、うちの叔父の到着が重なった。玄関の式台には、出迎えの執事らが居並び、ごった返していた。その横を吉広様が、ふらりと通って行った。挨拶の応酬と共にうちの叔父が奥に向かう。あわただしい騒ぎが静まって、潮が引いたように辺りが静かになった。……人がいなくなる」

何だか、怪談の始まりそうな雰囲気になってきた。

「……しばらくして、女中の一人が、玄関先から呼ぶ声に気づく。見ると、運転手が奇妙な顔をして立っている。《どうしたのか》と聞くと、《子爵様は、まだでしょうか》。おかしなことをいうと思って、《とっくに、お出になられましたよ。先程、ここを通って行かれました》。すると、《いえいえ、それは何かのお間違いでしょう。子爵様は、いらっしゃいません》」

わたしは、滝沢家の、天井の高い大玄関を思い出した。ひんやりと黒光りする板の間。そこに響く、奇妙なやり取り。

道子さんの話は続く。

「《では、忘れ物でもなさったのか》と女中は思う。《それにしても、戻られる姿は見なかったが》といぶかりつつ、廊下続きの離れに行って、様子を聞いてみた」

「吉広様の奥様にね」

「ええ。先程、お話しくださったご当人。吉章様のお母様」

「で、――お戻りになってはいなかった」

「そうなの。《どうしたのかしら》と、今度は奥様も一緒に玄関先に来る。運転手に聞いてみる。そうすると《子爵様はいつまで待っても、出ていらっしゃらなかった》という返事。そんなことをいっても、現に玄関にも廊下にもいないのだから、わけが分からない。《もしや、ごふにでも》と……」ごふとは、ご不浄のことである。「調べてみたけれど、いらっしゃらない。揃って前庭に出て、見上げると、広がるのは海のように青い春の天。眠くなりそうな、生温かい風が吹いている。どこから流れて来たのか、桜の花びらがちらりほらり……」

13

わたしは、帝都の地図を頭に描いた。本郷区は縦に長い。しかし、帝大はそのほぼ中央に位置する。

「――麗(うらら)かなお天気だったら、ふと思い立って、歩いて行かれたんじゃないかしら。その方が気持ちがいい。ありそうなことでしょう?」

道子さんは、軽く頷き、

「そう思うでしょう。でも、だとしたら、運転手にひと声かける筈でしょう?」

わたしは、へこんで、

「それは——そうね」

「車が待っているのは毎日のこと。分かっていますものね。万一、春の陽気に化かされて気が回らなかったとしても、子爵様ともあろうお方がお一人で、見通しのきく前庭から、ふらふら門に向かえば、……これは目につくに決まってる」

「ええ——」

「運転手だって気が付く筈。駆け寄って《いかがなさいました?》と、聞くでしょう」

「そうね」

そこで、道子さんはお手上げというように、ギャングにホールドアップされた格好をふわりとした。袖に描かれた白い花が揺れる。

「でもね、……考えられることといったら、確かに、それぐらいしかない。だから当然、帝大にも連絡を取ったそうよ」

「そうしたら?」

と、思わず身を乗り出してしまう。

「いらしてなかった。二時間経っても、三時間経っても、夕方になっても、あちらに着かない」

「それは——」

「不思議でしょう?」

わたしも、声を映す鏡のように、

「不思議ねえ」

だとしたら、本当に神隠しといいたくなってしまう。

「ご夫婦仲もおよろしかったし、お子様も可愛がっていらした。失踪なさる理由もない。全く、わけが分からない。お兄様の伯爵様が家族会議を開いて《取り敢えずは様子を見よう》と決めた。翌日になって改めて、邸内をくまなく当たってみた。でも、物置の奥にも、池の底にも変わったことはなかった」

「うんうん」

「華族の家の変事は、格好の新聞種になる。飢えた狼のように、そういう人達が狙っている。まして、天勝一座とか、ああいった大魔術の舞台でやるようなことが、現実に起こったわけでしょう。人ひとりが、闇に紛れたわけでもないのに、忽然と消えた。《奇怪である、滝沢の家は呪われている》とか何とか、忌まわしい噂を立てられたらたまらない」

「時期も悪過ぎる――」

名門桐原家との慶事が進行している最中である。道子さんも、《そうね》という顔をして、

「……幸い、この件は滝沢の家から外にもれてはいなかった。人知を越えた神隠しなら、かえって何かの拍子に、子爵様がまた現れないとも限らない。……それが、あまりにもロマンチックな解釈だとしたら、まあ、当たり前に考えて、運転手がよそ見をしていた。……いくら当人が、じっと見ていたといっても人間なんだから、何かの間違いはあったかも知れない。子爵様は、どうしてだかふらふらと出て行かれた。それなら、ふらふらと帰って来るかも知れない」

「家族なら、そう期待するわね」

「ところが、二日経ち、三日経っても、吉広様は戻らない。家に来た人に不在を気取られぬよう住所を移し、何か問われることがあれば病気療養中と答えた。それで、結婚式までを乗り切った。帝大の方からも下がる手配をした。……さあ、それから先をどうするか。まかり間違って、爵位を召し上げられるようなことになったら、一大事よね」

「それが一番、気になるところでしょうね」

「失踪の届出をする機会を何となく失ったまま、ずるずると時が過ぎる。気が付けば早くも五年が過ぎて、吉章様も七つになった。お力のある方に、ことを打ち明けて相談して……というのは、多分、うちの父あたりでしょうけれど……吉広様は不在のまま《体調不良のためその責に耐えず》として、襲爵の運びとなった」

「危機を乗り切ったというわけね」

「ええ。でも奥様は、《今もいなくなったとは思えない。このお屋敷に、見えない姿でいらっしゃるような気が、そして、わたし達をお守りになっているような気がする》とおっしゃっていたわ」

そういわれたのか。

しかし、気になるのは、浅草にいたという子爵様に瓜二つの男だ。――とはいえ、吉章様が爵位を継ぎ、不安定な形ながらも一件は解決している。余計な波風を立てられるのは、滝沢家の望まぬところだろう。

まして、話の出所がうちの兄の不確かな妄言では、道子さんも忘れるしかなかろう。

そこで、ふと思いついた。

「――ねえ、吉広様のお写真てあるの」

「園遊会やパーティに何度かいらしたから、写っているわよ。大勢で撮ったものばかりだけれど、お顔は分かる筈よ。……どうして？」

「うちの兄がいってたの。神様みたいなお顔だって」

「あ……」

と、道子さんは意表をつかれたような声をあげ、すぐに小さく開いた口を閉じ、こくんこくんと頷いた。

「……分かるわ。そういわれれば、浮世離れなさっていた。どこがどうとは、いえないんだけれど」

道子さんは立ち上がって、部屋の隅の本棚に向かった。一番下の大きな棚に何冊かアルバムがささっている。藤色の一冊を抜き出して戻ってきた。

前のテーブルに広げ、二人で覗き込む。

「あ、これ、七、八年前の園遊会だけれど、割合、大きく写ってる」

道子さんが指さした。黒い厚紙の上に写真が貼られている。どきりとするほど、すぐに分かった。説明がいらない感じだった。特別な表情を作っているわけではない。しかし、やや面長な顔から、荘重なやさしさ、許しの色のようなものが伝わってきた。

他にも何枚かの写真を見たが、先程の姿を見てしまうと、不思議なことに遠くに小さく姿の見えるものさえ、何となく吉広様と分かってしまう。

やはり、独特の個性を持った方なのだ。

14

その晩、父が早めに帰って来たので聞いてみた。

「ねえ、華族の滝沢様っていらっしゃるでしょう。桐原様と縁続きの――」

安楽椅子で、文字通り安楽そうにくつろいでいた父は、わたしの質問をきっかけに、うーん、と伸びをして、

「ああ、それなら、本郷の滝沢だな」

父は、財閥系の商事会社を取り仕切っている。お付き合いも広い。

「そうそう」

「どうかしたのか」

「いいえ。あのお宅って、ご兄弟で、伯爵と子爵でしょう。普通なら、ご当主に爵位があるものなのに、どうしてああいうことになっているの？」

「そりゃあ、色々わけがあるようだな。世間でいわれているのはこんなところだ。――滝沢には、九州に領地のあった滝沢侯爵家がある」

「ええ」

「ところが、本郷の滝沢家にいわせると《血筋からいって、自分達の方が格上だ》となる。それなのに、あちらが侯爵で、こちらが伯爵。釈然としない」

「へええ」

「爵位が決まるには、維新の時の功績とか、大名華族なら昔の石高とか、その他にもあれやこれや、訳の分からん理由もある」

　お相撲さんの番付なら、前の場所の成績によるわけだろう。勝ち越したか負け越したか。それなら分かりやすい。だが、政治の世界にはもっと難しいことがあるのだろう。

「公侯伯子男。──階段のどこに立つかが、大問題なんだね」

「無論そうだよ。侯爵様なら、人望があろうがなかろうが無条件で貴族院議員だからな。──伯爵から下だと、そうはいかない。互選になる。大変な違いだ」

「ああ、そうなんだ」

「だから、なおさらだよ。政府にしたって、そんな不満に一々つきあってはいられない」

「あちら立てればこちらが立たず、だものね」

「そうだそうだ。爵位を上げてもらいたい家なんて、幾らもある。そこでな、先の滝沢伯爵が亡くなった時、《その功績に報いるため》とか何とか理由を付けて、弟の方にも爵位を贈ったわけさ」

「はああ」

　父は、ぽんと掌を合わせ、

「《これで手を打て》というわけだ」

「要するに、《伯爵を侯爵に格上げするのは無理だ。その代わり、もう一人華族を出してやる》──こういうわけね」

「うむ」

ちょっと考えて、

「それって、釈然としないんじゃない。お腹が空いてるのは兄さんなのに、弟がお饅頭を貰ったようなものでしょ」

「まあな」

「そうなったら――」

いいかけて、はっとした。意地汚いようだが、食べ物に譬えてみたら人情の機微がきりきりとよく分かった。

「どうした？」

「いいえ。子爵をいただいた弟の方も、気まずいんじゃないかしら。今まで、家格を上げようと必死で運動していた一族の手前」

周り中から複雑な眼で睨まれていたら、お饅頭も食べにくいだろう。

「確かにな――おめでたいような、おめでたくないような、味の悪い受爵ではあるな」

一人になって考えてみた。

この世には、人知を越えたことも確かにある。《神隠し》といった超自然の出来事が、絶対に起こらないとはいえない。しかし、常識的に考えれば、滝沢子爵は何らかの事故にあったか、自分の意志で失踪したか、そのどちらかになる。

今のような話を聞くと、思えてしまう。子爵が滝沢家にいにくくなるような何かが、あったのではないか――と。

もしそうだとしたら、失踪の線が色濃く浮かんで来る。衝動的に飛び出したとしたら、どうだろう。労働とは最も縁遠い華族様だ。都の片隅で困窮し、かといって今更、元に戻るきっかけがつかめずにいるのではないか。恋しい妻子の元に帰れず、苦しんでいるのではないか。

もとより、当てにもならない一瞬の目撃に引きずられた苛立ちである。勝手な思いである。しかし、自分がこれから、うっとうしい炎熱の東京を逃げて心地よい高みに行くだけに、心は重くなる。

軽井沢への出発は、数日後に迫っていた。《秋風が吹くまで、このままにしておいてよいのか》という焦燥が、いよいよ胸を嚙んだ。

結局のところ、打ち明けて相談出来るのはベッキーさんしかいない。夕食後に、わたしの部屋に来てもらった。

15

時刻は、もう遅い。

車の運転もないから、ベッキーさんは白の制服ではない。地味な銘仙に着替えている。そういう姿になると、我が家のお姉さん、という感じになる。

勿論、道子さんに断りなく他家の大秘密をもらすのには、抵抗があった。しかし、心で《ごめんなさい》と手を合わせながら、全てを話した。

ベッキーさんが内緒の打ち明けごとを他でいう筈はないし、この人はわたしにとって特別な人だ。もっとも《おしゃべり》は誰でも、そんな理屈をつけ、明かしてはならない秘密を触れ回るのだろうけれど。

　ベッキーさんは、すぐに、

「瓜二つという人が滝沢様かどうか、――確かめたいのですね」

「ええ」

「大人の思案をするなら、《お忘れ下さい》というしかありません」

　わたしは、黙った。ベッキーさんはいう。「少なくとも今、滝沢家という秤は平衡を保っています。そこに手を触れたら、どういうことになるか。まかり間違えば、パンドラの箱を開けたような混乱を招くかも知れません。そうなった時には、お嬢様が恨みを買うでしょう。また――」

と、ベッキーさんは瞳の大きな眼でわたしを見つめた。

「お嬢様お一人で、そういう世界を探索し、目指す人を見つけられるわけがありません」

　それはそうだ。まず、《浅草》というだけで抵抗がある。男の兄が気楽に行けても、妹となると事情が違う。わたしが机を並べているお姫様方なら、絶対、足を向けないところだ。

　例えば封切りの洋画を観る時はどうか。日比谷の帝劇になら、連れて行ってもらえる。だが、浅草の映画街では待ったがかかるだろう。

《庶民的》と説明されれば普通は《誰もが行ける街》となるのだろう。しかし、わたし達のような娘には逆だ。魚が水から出られないように、動ける範囲がある。

　まして浅草寺に鎮座まします聖観世音菩薩様を拝みに行くならともかく、裏の世界の探索では、金魚が砂漠を横断するような難題になる。

「――それなのに吉広様を見つけ出せたとしたらどうか。秘密をしまっておかず、誰かに明かして捜させたことは、明白です。やむにやまれぬ好意からそうしても、軽はずみと思われ、人としての信用を失うかも知れません。要するに、触らぬ神にたたりなし、という状態です。いかがでしょう。――何かものを買う時、人は対価を払わねばなりません。お嬢様にそのお覚悟は、おありでしょうか？」

わたしは俯き、しばらく右の親指で左の掌を揉んでいた。そうすれば、よい思案が出て来るかのように。

「……この場合、わたしがどうなるかより先に、滝沢の方々のことを考えるべきよね。何が大切か、という問題になる」

ベッキーさんは、黙ってわたしを見ている。

「――あちらにご迷惑をかけたら、というのは、確かに大きな大きな問題だわ。でも、今、わたしの頭に浮かんでいたのは、――滝沢の吉章様なの。七つだという子供。二つでお父様とお別れになったのなら、何の記憶もないことでしょう。――もしかしたら前子爵様のご帰還が、吉章様にとって一番迷惑になる可能性さえある。……それはそう。――でも、わたしが子供だったら、そして父に会えるかも知れない機会があったら、決して逃したくはない」

と口にしてから、自分の思い込みを笑い、

「――それもこれも、万が一、いえ万々が一の奇跡で、浅草の不思議な人が元子爵様だったら、――そして当の吉広様の、お気持ち次第になるけれど」

ベッキーさんは、そこまで聞くと、まことに静かに口を開いた。

「お嬢様、紙と鉛筆をお借り出来ますでしょうか」

「え。――いいけれど」

わたしが、いわれたものを出すとベッキーさんは鉛筆をかまえ、

「吉広様の――まず、顔の形はどのようでしょう?」

それから、質問は髪形、眼、鼻、耳、唇と進んでいった。描いては確かめ、修正していく。線が次第に表情を持つ。やがて、わたしが幾葉かの写真からつかんだ滝沢元子爵の像が、紙の上に再現された。

「ベッキーさん、絵もうまいのね」

「いいえ」

ベッキーさんは、似顔絵の手を止めて、

「軽井沢へのご出立は明明後日(しあさって)でございましたね」

「ええ」

母の都合で、例年より少しだけ遅れている。

「日はもうございません。もしよろしければ、明日、別宮がお休みをいただいて、調べて参りましょう」

あまりにもあっさりした物言いに、拍子抜けして、

「一日で? そんなこと出来るの?」

「無理ではございません。独特の強い印象を受ける方とうかがいました。となれば、浅草公園を聞いてまわっただけで、案外、分かるかも知れません。この絵姿を頼りに、玉姫公園、千束公園と足を伸ばして問いかければ、――それだけでも、定職や家のない方、五十人以上の口から情報

が得られる筈です」

「……」

公園を三つ回って五十というのが、多いのか少ないのか判断出来ない。ただ、わたしがぼんやりと考えていた《探索》というものを、具体的な人の数にして出されると圧倒される。

ベッキーさんはいう。

「——しかし、さすがに浅草区の外までは手が回りません。大東京は広うございます。地下通路やガード下のことまで考えれば、家のない方々が最も多いのは、……おそらく下谷(したや)区でございましょう。そちらまで足を伸ばすのは無理かと存じます」

「分かります。人のやることです。限界があるのは承知です。兄が見たというのは浅草。そこを当たっていただければ十分です。それで分からなければ、あきらめましょう」

《では》と、ベッキーさんが、立ち上がった。そこで、わたしは《あ……》といった。

「どうなさいました？」

「もし、瓜二つの人が吉広様で、ご自分の意志で出ていらしたとすると……」

「はい」

「《神隠し》ではないわね」

「そうなります。——天に昇ったのでも地に潜ったのでもない」

「だとすると、どうやって滝沢邸から消えたのかしら……」

ベッキーさんは微笑み、

「別宮には、分かりかねます」

そしてドアまで歩を進めて、振り向き、

「――滝沢様のお屋敷には、椎の巨木がございました」

「ええ」

「別宮は、椎の木の横を抜け、裏手の広場に車を停めました。そこに供待ち部屋にも通じる、家の勝手口がございました。庭師なども出入りするのか、塀の方にも簡単な通用口が開いていました」

わたしは、首をひねった。

「……玄関から外に出ると見せかけて、実はそのまま引き返した。使用人部屋に回り、裏口から出た……こういうこと？」

それでは廊下を抜け、人々の間を通ることになる。大勢の眼に自分を晒してしまう。消えるどころか、かえって人目につく。

「さあ、――どうでございましょう」

ベッキーさんは、礼をして出て行った。

16

天に昇ったのでも地に潜ったのでもない――何となく、その意味がつかめてきたのは、翌日になってからだ。なるほど、考えられる答えはひとつしかなかろう。

さて、夏の日は暮れにくい。そのおかげでか、ベッキーさんは翌日、まだ暗くならないうちに帰って来た。

待ち構えていたわたしは、早速呼んで、ことの次第を聞く。

「《絵姿の人》については、思ったより簡単に当たりがつきました」

という返事。

「そうなの」

「はい。浅草公園の木陰にいる人達に、ちらりと見せただけで、《こりゃあ、馬さんだろ？》という声があがりました」

「《馬さん》？」

「あだ名といいますか、――通称がそうなのです」

「……なるほど」

いわれてみれば分かる気がする。滝沢前子爵様の容貌には、確かにそんな連想を呼ぶところがある。ただし、口から泡を吹き、勇ましく気負い立つ馬ではない。静かに頭を垂れ、柔らかな光の中で草を食むそれだ。

「寝転がっていた人も《馬さん》と聞いて起き上がり、絵姿を見ては顔をほころばせ、《違いない、違いない》と口々にいいました。不思議なことに、その名を口にするだけで、暑熱に打ちひしがれ、ぐったりとしていた人達が元気になるようでした」

容姿だけでなく人柄まで、兄のいっていた吉広様に重なるのではないか。

「――《ご存じですか》と聞くと、髭のおじいさんが、しゃべろうとする若者を肘でつきました。そして、顎を出すようにして、《ねえちゃん、あんたは馬さんの何なんだい》と問いました」

　ベッキーさんの話は、なかなか臨場感がある。

「怪しいものかと疑われたわけね」

「皆さん、そこに来るまで色々なことがあった筈。臑に傷持つ方もいるでしょう。《やたらにペラペラしゃべるな》というのは、当然の心くばりです。わたくしが、《親戚の者なのです。五年ほど前、行方知れずになり、一同心配しておりました。風の便りに、こちらで見かけたと聞き……》というと、納得してくれました」

「はいはい」

　先を急がせたくなる。

「確かに、それぐらい前に、ふらりと現れたそうです。もっとも、新入りがやって来るのは珍しくない。何者か、といっても、戸籍のない人がこれまた珍しくない。相手の過去を詮索するのはご法度。――というわけで、《馬さん》が、どこで何をしていたか、どなたも知りませんでした。ただ、――誰からも好かれているようでした。日銭が入っても、酒を飲んだりの無駄遣いは一切しない。その代わり、困った仲間がいると、わずかの手持ちの中から、快く助けてやる。浄瑠璃やら歌舞伎やらも、よく知っていて、雨に降りこめられて、くさくさしている時には、そんなものを語ってくれる。どうにも苦しくなり、擦り寄って打ち明け話をしても、嫌がらず聞き役になってくれる。そして、心の軽くなるようなことをいってくれる。《馬さん》の顔を見ているだけで落ち着くという人さえいました」

「………」

「ただ、話に聞くばかりで、当のその方にはなかなか会えませんでした。行く先々で、まるで逃げ水を追うように、《今し方までここにいた》といわれ、縁がないものかとも思いました。午前中から、ずっと後を追いかけました。《貧民救済所に行った》といわれ、三時過ぎに、そこの門をくぐりました。そこで、やっと、――お風呂で汗を流して来られた《馬さん》と対面いたしました」

「――お風呂？」

「はい。貧民救済所には無料で入れるお風呂があるのです。東京市のあの辺りには、四箇所の無料宿泊所もございます。――合わせて千人は、お金がなくとも夜露をしのげるのです」

「千人……」

きっと、わたしがあからさまに驚いた顔をしたのだろう。ベッキーさんは補足する。

「――それでは足りませんので、十銭ほどのお金で宿泊出来る施設が、あちらこちらに何箇所も作られています。ただ、わずかでもお金があれば食べる分に回すため、どうしても有料の人気は薄いようです」

なるほど。ベッキーさんは、話を元に戻し、「――《馬さん》は子供達にも大人気でした。男の子女の子が右に左に、木に、たわわに実のなるようにまといついていました。わいわいと大変な騒ぎです。《馬さん》は、にこにこして、一人一人に順繰りに話しかけていました。わたくしが深く礼をいたしますと、足をお止めになり、にっこりと微笑まれました。そして、子供達の頭を撫で《どうやら、あのお姉さんが、お話があるようだからね》といわれました。子供達は残念そうに、でも、素直に聞いて、離れていきました」

17

「こちらが、その救済所でございます」

わたしは、フォードの窓から顔を出す。

門は大きく開かれている。上部には鉄棒のアーチが掛かっていて、中央に電灯が下がっている。暗くなれば辺りを照らすのだろう。

ここで働いている人なのか、割烹着の女の人が奥に入って行った。左手に大きく《無料》と書かれた建物があり、煙突が、鉛筆を立てたように見えた。あれがお風呂に違いない。まだ早いので、煙を吐いてはいない。大きな荷車が止まっているのは、湯を沸かす時に燃す、木切れなどを運んで来たのだろうか。

坊主頭の痩せた子供達が数人、中から駆け出して来て、こちらを物珍しそうに見つめた。

「参ります」

ベッキーさんがそういって、車はまた動き出した。

昨日、ベッキーさんが、《滝沢様》と話しかけると《馬さん》は、《あはあ、名前は忘れました》といったそうだ。しかし、否定するでもなく逃げるでもなく、話はよく聞いてくれたという。

フォードは、聖天町(しょうでんちょう)の方へと進んだ。右手には、悠々と隅田川が流れる。

言問橋(ことといばし)に近い所で車を止めて降りた。遊歩道があり、街路樹が美しく続く。帝都復興計画のひとつとして完成された日本初の道路公園、――隅田公園である。

ベッキーさんが、昨日わたしのことを話すと、謎の人は《では、会ってみましょう》といったそうだ。言問橋から二本目の街灯のある辺り。川を向いたベンチで――ということだった。

そこに、その人がいた。

思ったより清潔な、こざっぱりした様子をしていた。そう思う自分が恥ずかしい気がした。ご挨拶をして頭を下げる。わたしは藍の地に百合の着物だ。帯は娘らしく貝の口に結んでいる。《馬さん》は、仔馬を慈しむような眼でわたしを見つめた。わたしは並んで腰を下ろし、ベッキーさんが隣に座った。

朝というには遅く、昼というには早い頃だった。

眼前には手摺り越しに、広い隅田川が見える。波が、光の皺を刻んでいる。遠く近く、水鳥が群れ遊んでいた。対岸は向島、三囲(みめぐり)神社の辺りだろう。

「パラソルがなくても、よろしいですか」

と、《馬さん》が聞いた。日差しを気遣ってくれる。配慮の仕方に、以前の身分がうかがえた。

「はい」

「日が高くなる前だからよいかと思いましたが、やはり夏です。お年頃のお嬢さんには、まずかったかも知れない」

「いえ。――わたくしなど兄に、《お前なんかがパラソルを持っても、えいっと、肩にかついじまうから駄目だ》と笑われます。女らしくないそうです。――パラソルは肩から離して、ちょっと斜めに」

わたしは身振りをして、

「――でも、そんなに人目を気にしてばかりでは、つまりません。気にさせるような相手が向こうから来れば、いわれなくとも自然にそういたしますわ」

《馬さん》は愉快そうに笑った。

「不思議ですな。思っていたようなお嬢さんだ」

「いえ……、何からどう話していいか分からなくて、つい……しゃべり過ぎただけで」

「普段は寡黙ですか」

「はい」

そうでもない。口は重宝なものである。

「いや、若い人が元気なのはいい。気持ちのいいものです」

広がる風景は明るい。川風が渡って来て思いのほか涼しい。

「口の悪い兄ですが、わたくしは大好きです。父も母も大好きです」

「それはいい」

「……奥様のところに、お戻りになる気はないのですか」

いきなり核心をついてしまった。《馬さん》は、いえ、滝沢様は、声に少しの揺らぎも見せずに答えた。

「わたしも、妻が大好きでした」

「それではなぜ――」

「住む世界が違うことに気づいたのです。あれは、邪気のない、心の届く範囲においては優しい娘でした。しかし、いうなれば」

と、滝沢様は眼を彼方に向けた。

「——川の向こうに住む人だったのです」

眺めのよい帝都の新公園である。何人かが、眼の前をぶらぶらと通って行く。

「——結婚して初めて、一緒に軽井沢に行った時のことです。臨時列車の二等を手配して、向かいました。兄たちからは、わざと遅れて、若い二人で出掛けたのです。ところが二等は、軽井沢に行く、いわゆる上流の紳士淑女でごった返していました。すでに立錐（りっすい）の余地もない。かえって楽なのが三等です。そちらに移ると、あれは常になく多弁になりました。わたしに声高に、とめどなく話しかける。どうしたのかと思いましたが、わけはすぐに分かりました。本郷の家のこと、身分のこと、二等は混んでいてこちらに来たのだ、などと繰り返しているのです。つまりあれは周りの人達に《自分は、ここにいる筈の人間ではない》と叫んでいたのです。悲鳴をあげていたのです」

「……………」

「まるで、酸素の足りないところに来たように。——そうしないと、あれは息ができなかったのです。三等にいる人も同じ人間であるとは、夢にも思えなかった。同席する苦しさに身を焼かれて、まことに無邪気に、跳びはねていたのです。それを知って、わたしは驚きました。そこで今度は、こちらが苦しくなったのです」

川の中程を、平底の舟が通って行く。男と女が並んで、大きな櫓を漕いでいる。何かの仕事をする舟なのだろう。息が合っている。女は手拭を姉さん被りにしている。夫婦ものだろう。

18

「……同じように、爵位のことでも苦しまれたのですか」

滝沢様は、しばらく額に手を当てていたが、やがて、

「そうですね。滝沢の家同士の、どちらが上でどちらが下という話は、聞いていても胸の苦しくなるようなものでした。ましてそれに、その問題に自分がからんでしまえば、なおさらです」

はしけ舟が帆をあげて通って行った。風をはらんだ帆はぴんと張って、一枚の四角い紙のように見えた。隅田川には、帝都の繁盛を示すように舟が多い。

「でも、それは……」

わたしは、一旦、いいよどみ、

「……何不自由のない暮らしから逃げて、苛酷な生活に移る。到底、出来ることではないでしょう。でも、……でも、逃げたのではありませんか。世間知らずの者が、目上の方に申し上げるのは失礼でしょう。それでもわたくしは女です。……そして、奥様も女です。一生、連れ添うものと思っていた身からすれば、あんまりなさり方では、ございませんか」

上流からモーターボートがやって来た。運転している人は、豆粒ほどにしか見えない。しかし、頭の帽子を片手で押さえているのが分かる。

わたしは続けた。

「――もし、わたくしが奥様なら、耐え難いところがあれば、教えさとしていただきたいと思い

ます。それは、無理な頼み、甘えた願いなのでしょうか。我がままでしょうか」

「いや、お嬢さん。我がままなのは妻ではない。わたしなのです」

「………」

「《妻がそうであった》のではない。《妻もまた、そうであった》のです。妻は別に変わり者ではなかった。当たり前の考えを持ち、当たり前に生きていた」

「でも、あなた様がおっしゃれば、奥様は向きを変えられ、二人でまことの幸せをつかめたのではありませんか」

「お嬢さん」

そういって、滝沢様は、しばらく、わたしを見つめていた。

「――あれにとって、まことの幸せはあちらにあったのです。それに疑義を抱くことは、即ち、犯罪なのです。――そこにあるのは至って明快で、一度も病んだことのない肉体にも似た、――頑強な、殆ど健康といっていい思想なのです」

「………」

「それでも、わたしはあれを可愛いと思いました。妻にも子にも、溺れました。しかし、時と共に、わたしの浸かる物思いも深くなりました。限界でした。愛する妻子を含む世界で、わたしは、息をすることが出来なくなったのです。わたしが捨てたのではない。――わたしが捨てられたのです」

子への情愛が、そういう抽象的な心理に負けるとは信じられなかった。あらゆる思想も、親子の愛の前には、項垂(うなだ)れて立ち去るしかないのではないか。

「そのようなことが、あるものなのでしょうか」

「お分かりになれないでしょう。わたしが特別だったのです。特別だからこそ、そうなったのです。日常普通の頭で考えても、納得出来ることではないと思います」

「お子様に会いたいとは……」

「思いました。《出家をしようとして、恩愛の絆を断つため、追いすがる我が子を縁から蹴落とした法師がいる》といいます。そんなことは出来ない。絆は断ち切り難いものです。――しかし今は、その妻も子も、わたしの言葉の響くものに形を変えて、いつもわたしの側にいるような気がします」


モーターボートは大きく旋回して、流れを下る。白波を蹴立てて、言問から戻って、吾妻、駒形――と、橋巡りを楽しむようだ。「困った方々のことを考えるなら、お立場はそのままに、お金の援助をした方がよかったのではありませんか。その方が、よほど世のためにも、ご家族のためにもなったのでは……」


社会事業に協力する華族も、度が過ぎると親類縁者から睨まれる。場合によっては《世間知らずの道楽者》と嘲笑される。しかし、その方が、こんなことをするよりましなのではないか。

「さて、――自分勝手な者でなければ、そうするところでしょう。だが、わたしには、もうあちらにいることが耐えられなくなったのです。――真珠が海の底にあるといっても、息の続かぬ者には取って来られない。だらしのない話ですが、そういうことなのです。――身分があれば身分によって、思想があれば思想によって、宗教があれば宗教によって、国家があれば国家によって、人は自らを囲い、他を蔑し排撃する。そのように思えてなりません。そう思えば、所詮は自分自身が、全てを捨てて無となるしかない」

「では、《神隠し》のように消えたのも、溶けるように無に帰すためですか。——家族を捨てたと見せないため。奥様やお子様を傷つけないためですか」

19

「ほお、……《神隠し》。そうなっているのですか」

わたしは、こっくりをし、

「奥様は、そうお考えのようです。あるいは、——そうお考えになりたいのか」

滝沢様は、小さく頷いた。

「そういう思いは確かにありました。——というより、そうですね」

宙に眼をさまよわせる。考えをまとめているようだ。

「……大学から消えれば、大学の者が警察に問い詰められるでしょう。行き帰りで姿を消せば、大掛かりな探索が行われる。うちの玄関からいなくなってしまえば、取り敢えず、外の人に迷惑をかけないだろう。それぐらいの考えでした。しかし、ほんの子供だましです。それで通せるとは思っていませんでしたが……」

「正式に捜査が行われたら、あの時、現場にいた人達《全て》が、きびしく取り調べられたでしょう。しかし、そうはなりませんでした。ことは伯爵様によって伏せられたのです。様子を聞かれたのは、滝沢家の女中や玄関番、書生達だけでした」

「……なるほど、《伏せた》。すると、わたしはまだ失踪宣告をされていないのですか」

「はい。表向きは、小石川の別邸にいらっしゃることになっています。お戻りになりたければ、そちらの戸を叩かれるだけですむかと思います。――小石川でしたら、大学の植物園もお近く。馴染みの場所でございましょう？」

滝沢様は、にこやかに笑った。散策の人達が、川面を指さしながら、前を通り過ぎて行く。

「いや。そのような扉は、もう今のわたしには縁のないものです。……それより、あなたは、考えただけで分かったのですか。どうやって屋敷を抜け出したかが」

「はい。引き算になりました」

「ほう」

「消えたとするなら、《天に昇ったか、地に潜ったか》。しかし、そんなことはあり得ない。――上でも下でもないとしたら、当たり前に《横に動いた》としか思えません。しかし、廊下を戻れば女中達がいる。歩いてそのまま前庭に出て行けば、運転手が待ち構えている」

「はい」

「となれば横に動いて抜け出す方法は、ひとつしか残されていません。《隠れ蓑》を着ることです」

「ふむ。……すると、わたしが誰か、使用人の扮装でもして出て行ったと？」

「いいえ。そんな時間はありません。瞬時に着られる《蓑》はないか。あります。千番に一番の兼ね合い――といってもいい。《一瞬の早業》をなさったのではありませんか」

「ほう、どういう？」

「大きなお屋敷なら大抵そうですが、滝沢邸も玄関から、すぐに庭ではありません。玄関前は、屋根のある車寄せです。――普段の朝なら、あなた様を大学へお送りする車が、そこまで円を描いてやって来て、車寄せに入る。そして、玄関先に横付けする筈。――しかし、あの日、滝沢家の運転手は、前庭であなた様を待っていた。当然です。賓客がいらっしゃるのです。車寄せは空けておかなければならない」

「そうなりますね」

「あの日、車寄せには、桐原家の賓客を乗せた車がやって来た。運転手がドアを開け、桐原様が降りる。家の者達が迎えて礼をする。桐原様は、玄関に入って行く。皆が付き従う。視線は、桐原様の背中に集まります。そこに出ていらしたあなた様が、開いたドアからぽんと、――桐原様の車に乗ってしまわれたらどうなります」

滝沢様は、にっこりと笑った。

「だから、子供だましといったのです」

「あちらの運転手には、どうおっしゃったのです」

「ちらりと肩越しに振り向いてから、《大学に出るというのに、うちの坊やに追いすがられて困っているよ。このまま駐車場の方にやってくれないか》と」

「なるほど」

「その一週間ほど前にも、お使者が来ました。その時、玄関先で、桐原家の車の横に立ち、頭を下げている運転手を見たのです。《ご苦労様》と声をかけました。はっと驚いて顔を上げたので、《滝沢の次男坊ですよ、吉広です》。そうしたら、《こ、これは若御前っ！》と、馬鹿に恐縮しましてね」

「顔見知りになっていたわけですね」

「格別、どういう当てがあったわけではありません。一週間経って、あの日が来ました。玄関を出たら、目の前に桐原家のクライスラーが停まっていた。《お乗り下さい》というようにドアが開いて、あの運転手がお辞儀をしていた。《これに乗れば、いつもの生活のコースからはずれられる》と、ふと思ってしまったのです。そういう思いが、啓示のごとく閃いたのです」

わたしは、滝沢様の、咄嗟に出たという言い訳の効果に舌を巻いた。

「《お子様に追われている》といえば、後部座席で身をかがめても、不自然ではありませんね」

「はい。運転手は、《分かりました、おまかせ下さい》といって、急いでドアを閉め、駐車場に向かいました。《やあ、ありがとう。僕はこちらから行くよ》と、通用口からそのまま街路に出てしまいました」

こうして、現代の《神隠し》が成立したのだ。

20

帝都は猛暑というが、軽井沢は秋が早い。――というより、八月も下旬になると、時折、ストーブをたきたいほど、そして稀にはたくほどに冷え込む。これはもう、一足飛びに、冬が忍び寄るといってもいい。

ベッキーさんと二人だけになった時、滝沢様の話が出た。子にとって、父とは何か。ベッキーさんは、白樺の枝越しに蒼天を見上げていった。

「宗教をお持ちの方ならおっしゃるでしょう。天にまします――と」

わたしは、ふとベッキーさんの胸中を思い、瞳を伏せた。

我が家の父は忙しい。週末にやって来て、月曜の朝に帰ることが何度かあった。

父は、軽井沢の何人かの方々にとって、待望の客である。イギリスに長くいたせいか、トランプのゲーム――ブリッジの名手なのだ。

負けている方々にとっては、憎さも憎し。てぐすね引いて待っている相手だ。呼んだり呼ばれたりと忙しい。

そんな父がテラスで遅くまでカードを戦わせた翌日だ。なかなか起きて来ない。先に朝食をすませた。

そしてわたしは、残った白い朝霧が、煙のようにたゆとう風情に誘われ、別荘の裏手の、樅（もみ）の林に足を向けた。

樅は、太さも様々なら、直立するものもあり曲がって立つものもあり、それぞれに個性を主張している。わたしと兄が小さい頃には、ここで、他の家の子供達をお招きして、ガーデンパーティを開いた。遠い記憶が、昔の物語のように思える。

ベッキーさんがやって来た。手に新聞を持っている。

「なあに？」

「旦那様が車中で眼をお通しになった、東京の新聞でございます。別宮がいただいて、只今、読んでおりました」

「何か出ていたの？」

「これを——」

カサリと開く。霧の白い流れの間を、朝の光が斜めに縫ってくる。清澄な空気の中で、ベッキーさんの片頬がまぶしく光っている。

わたしは、新聞を受け取り、示されたところを見た。下から二番目の段の、二行見出しにこうあった。

感心なルンペン
幼児の身代りに

二十二日午後四時頃淺草區田中町の路上に歩み出た幼兒が突進するトラックに立ちすくみ居たるを來かかりしルンペンが咄嗟にかばひ車の下敷となり死亡。この男は馬さんとて徳行厚くルンペン仲間より人望ありし者と云ふ。


体の芯に、すっと冷たいものが通ったようだった。

がくがくと体が震えた。

「どうなさいました」

「わたしのせい？」

「――お嬢様」

　ベッキーさんが、寄り添ってくれる。

「どうして、そんなことをお考えになるのです」

「わたしが会ったから？　何か、あの方を追い詰めるようなことをいったかしら？」

「お考え過ぎです。……時の歯車が、動くように動き、人がその道を歩んだということです」

　ベッキーさんはわたしを、ひしと抱き締めてくれた。

21

　この秋には、凄まじい大型台風が日本を襲った。二千名近い死者・行方不明者を出した大阪では、強風に五重の塔が吹き倒されたという。

　そして、東北の農村についての《明治以来の大凶作》という記事が、黒く新聞紙面を覆った。人里でブッポウソウが鳴くと――という忌まわしい言い伝えが、胸に蘇らずにはいなかった。

　そんな秋だったが、思いがけない人との再会が、ただひとつ、ほのかに火の灯るような記憶となった。

　兄に銀座に連れて行ってもらい、わたしにはお決まりの教文館に入った。

　黒のエナメルの靴で書店の床を踏んだ時、兄が叫んだ。

「いけねえ！」

　さっき覗いた伊東屋に、忘れ物をしたという。こちらはお付き合いするより、本の背表紙を見ていた方がいいので、そのまま待つことにした。

ところが、兄が消えた途端、男の人に話しかけられたのだ。

「失礼ですが――」

わたしは、はっと身構えた。

冨士アイスで、川俣さんに声をかけられた時は、兄と二人だった。泰然自若としていられた。だが、今度は一人である。多勢に無勢だからいけない――というわけではない。若い娘だ。緊張しない方がおかしい。

野暮な縞を着た人である。着物の趣味は、はかばかしくないが、顔立ちはすっきりとして眼に力がある。

「――花村英子さんでしょうか？」

姓名を誤りなくいわれた。正体を知られたスパイのようにびっくりする。声をあげそうになった瞬間、歌舞伎の舞台で浅葱(あさぎ)幕を切って落としたように、さっと思い出した。

「若月さん！」

以前、あるお宅の時局問題講演会でお眼にかかった軍人さんだ。名前を明かして別れた。確か、――陸軍の少尉さんだった。

若月さんは、頷き、

「ご一緒にいらしたのは、お兄様ですね」

「はいっ！」

「何か、忘れ物をなさったようで――」

「兄は、そそっかしいことでは東の横綱なんです」

人間、いなくなると何をいわれるか分からないものだ。

「珍しい再会と思いましたが、声をかけてよいものかどうか、迷いました。幸いといっては失礼ですが、手持ち無沙汰になられたご様子なので、つい――」

「いえ。横綱のおかげで、お話し出来ます。嬉しいです」

これがアメリカ映画の登場人物なら、早速、連れ立って階下の冨士アイスに行き、テーブルを挟んでお茶でも飲むところだ。しかしわたしとて、嫁入り前の良家の子女である。そんなことは、無論、出来ない。

「ご本をお探しですか」

と、聞かれた。

「はい」

書名が頭の中で竜巻を作った。ええと、《詩集》など、いかにも乙女らしいのでは――という解答が瞬時に出た。

「――学校の授業で習ったのですが、《菜の花》という言葉がずらりと並ぶ詩があるそうです。読みたいと思って来たのですが」

歩兵銃のことは分かっても、詩では縁がなかろうと思った。しかし、若月さんは、こともなげに、

「ああ、それなら山村暮鳥（やまむらぼちょう）です」

「ご存じなのですか！」

「はい。キリスト教の牧師だった人です。《いちめんのなのはな　いちめんのなのはな……》」

口ずさみかけて若月さんは、すっと背筋を伸ばし、弁解するように、《いや、若い頃、読んだもので》と付け加えた。詩が《文弱》という言葉に繋がるからだろう。わたしは、強く首を振り、

「いいえっ」

といってから、そんな憶測はする方がおこがましいと思い至り、《い、……今も、お若いです……》とこじつけた。妙な会話になってしまった。

若月さんは、

「『聖三稜玻璃』という詩集に入っています」

と、詩集の名を音読みした。

「《さんりょうはり》？」

「《プリズム》のことです」

指先で、宙にすっすっと形を描く。

「ああ……。三つの角のガラス……ですね」

どういう文字か、推測出来た。

「今では、なかなか手に入らないでしょう。よろしければ、お送りいたします」

わたしは、声をはずませつつ、

「それは……ご迷惑では？」

「いいえ、わたくしはもう——読むこともないでしょうから」

指先を軽く顎に当て、迷っていると、若月さんがいった。

「――美しい本ですよ」

それが、背中を押してくれた。わたしは自然に、

「では、お言葉に甘えて」

若月さんは頷き、手帳とペンを取り出した。それを受け取り、胸を轟(とどろ)かせながら住所を書く。

――兄が、今、戻らないように。

と、祈りながら。

天の助けか、手帳を返しても、兄の姿はまだ見えなかった。

この前、お話しした時、若月さんの部隊の兵隊さんのことを聞いた。困窮されている方が多いという。

凶作の影響について聞いた。兵隊達の中には、《村に、娘の姿が残らない》と嘆く者がいたそうだ。無論、一人残らず身売りするのである。

「……そんな窮境を耳にするのは、身を絞られるようにつらいものです」

わたしは、滝沢様のことを思い出した。

「大きな現実の前に立つと、か弱い個人には、――仮に命がけでも、何も出来ません。そういう時、――ただ思いを内に押し殺し、外に向かって行動しない者を、どう思われますか」

当然のことながら若月さんは、《このお嬢さん、自分のことをいっているな》と思ったらしい。

「男と女は、違います」

それもどうかと思う。わたしは、正しくは《人の場合》と返すべきだったろう。しかし、素直な応答をした。

「いえ。殿方の場合です」

「それは――」

いいかけたところに、やっと兄が来た。話はそこまでになった。

兄は若月さんに気づき、けげんそうな表情になる。わたしは、多少どぎまぎしながら、二人を引き合わせた。

思い返せば、二度会って、二度とも私服だった。わたしは陸軍将校である若月さんの、最もそれらしい姿――軍服姿をまだ見ていないことになる。

22

詩集は、数日後に届いた。

小包の宛名や差出人の住所が、律義な文字で書かれていた。開いてみると、厳重な包装の下から、箱入りの本が出て来た。

いわれた通りの《美しい本》だった。箱には抹茶色の題箋が貼られていた。《三稜玻璃》という名を示すのか、本の背表紙側ではない三つの面に、ひやりと光る銀が塗られている。表紙は柔らかな革だ。ここに若月さんの指が触れたのかと思う。

机に向かい、ぱらぱらとめくり、まず、問題の《なのはな》を探す。

あった。「風景」という詩だった。《純銀もざいく》という副題が付いている。

若月さんが暗唱した通り、《いちめんのなのはな》という言葉が何行も何行も繰り返される。

それ自体が、黄色の絵具を塗り続けたようだ。間にはさまれる《かすかなるむぎぶえ》、《やめるはひるのつき》といった詩句が実に効果的だ。無理をいって、いただいてよかったと思う。

これを書いた詩人は、確か《牧師だった》と若月さんがいっていた。よくそんなことまで知っている。

「あ……」

そういえば、教文館は聖書館に繋がっている。二つで一つのビルだ。もしかしたら若月さんは、キリスト教にも関心があるのだろうか。軍人さんには、およそ似合わないことだけれど。

そこで最初に返って、初めから見て行く。冒頭の詩は《囈語》という。《げいご》と読むのか《うわごと》と読むのか、振り仮名がないから分からない。

竊盗（せっとう）金魚
強盗喇叭（らっぱ）
恐喝胡弓（こきゅう）
賭博ねこ

何と面白い。犯罪の名と、およそ関係のなさそうな単語が結び付けられている。その強引さにわくわくする。

いわれてみれば、《ねこ》は賭博をしそうだし、恐喝の背後には《胡弓》の音が流れていそうだ。

いやいや、そんな理詰めでないところに、この詩の妙味があるのだろう。

詐欺更紗(さらさ)
瀆職(とくしょく)　天鵞絨(びろうど)
姦淫林檎
傷害雲雀(ひばり)
殺人ちゆりつぷ

華やかに赤いチューリップが、眼前に浮かんだ。それが、

堕胎陰影

と続き、ふっと暗くなる。
続く犯罪名は《騒擾(そうじょう)》だった。騒擾罪とは、徒党を組んで国家の安寧秩序を脅かすこと。動乱を引き起こすことだろう。
そこには、しんしんと静かに、こう書かれていた。

騒擾ゆき

獅子と地下鉄

1

——それは去年のことだった。

と、甘い声が流れて来る。サロンを覗いたら、雅吉兄さんがレコードをかけている。蓄音機から流れ出る妙なる調べに耳を傾けつつ、体もまた傾け、長椅子に寝転がっていることならよくある。静かな曲なら子守歌代わりにして、本当に寝ていたりする兄だ。

ところが今日は、絨毯の上にあぐらをかいて座り込み、蓄音機を眺めながら、魂がどこかに抜け出たような顔をしている。

——星の綺麗な宵だった。

とはいっても、実は後ろ頭しか見えないのだが、そこは兄妹、長年一緒に暮らしていると、透視術が可能になる。だらしのない背中や首の曲がり具合で、顔つきが想像出来るわけだ。

——小さな喫茶店に
はいった時も二人は
お茶とお菓子を前にして
ひと言もしゃべらぬ

今年の鯉幟（こいのぼり）が空で踊っている頃からの流行り歌だ。街に出たりすると、必ずどこかから聞こえて来る。調子がいいから、自然、頭に入ってしまう。

兄は、色々なことに影響されやすいたちだ。

ピアニストのルービンシュタインが来日し、火花の散るような演奏が話題になった。この春には、九段の軍人会館でその告別演奏会が行われた。最後の機会というので出掛けて来ると、《うーむ、やっぱり凄いぞ！》と感嘆しきり。たちまち、評判がいいというビクターのレコード、『恋は魔術師』を買って来て、何日もかけていた。

横になりながらも宙に腕を伸ばし、見えないピアノでも弾くように肩を左右に揺すっているのを見て、

「熱心ね」

と、いったら、

「お前より、うまいぞ。——ルービンシュタイン」

下手でどうする。

　しかし、同じ《恋》の曲でも、今現在の対し方は全く違っている。単に寝転がっていない──という《姿勢》の問題ではない。何事かあったな、と思わせる。季節はもう夏だが、晩春の愁いのようなものが漂っている。

　兄も、そろそろ浮いた話の一つや二つ、なくてはいけない年頃だ。どこかのお転婆姫（フラッパー）に、振り回されているのかも。

　妹なのだから、当然、わたしの方が年下だけれど、こんな時には、母親のような眼になってしまう。

　──いい子を見つけるんだよ、お兄ちゃん。と、上からものを見てしまう。

2

《恋》という言葉と、《それは去年のことだった》という文句を、お神酒徳利（みきどくり）のように並べると、その間に、桐原家の道子さんの顔が浮かぶ。

　大名華族中でも指折りの名門、桐原侯爵家のお嬢様だから、お友達などといっては申し訳ない。とはいえ、以前は愛想のいい微笑を口元にたたえながらも、奥の見えない屋敷のように、計り知れないところのあった道子さんが、今はわたしに心を開いてくれた……ような気がする。

　一年に少し足りないぐらい前のことだ。桐原邸の広壮なお庭を、二人で散歩した。その高台にある東屋で、道子さんの胸のうちを聞いた。

――ある方に心を引かれた、というのだ。

無論、道子さんが出会って話が出来るのだから、桐原家に招かれるぐらいの家格はある。子爵様だ。しかしながら、まことに華族らしからぬ考えを持っている。

一流の会社に籍を置きながら、《重役からその上へ》という階段など気にもとめない。《働く人達に、眼を向けられる部署を希望している》というのだ。

おそらくは、桐原家御令嬢が今まで出会ったこともないような若者だろう。

だが、常識的に考えて、桐原という家柄が許す相手と許さない相手がいる。上を向く青年ならよくても、下に眼をやる若者では難しいのではないか。

そう思っていたところが今年の冬、――ちょうど金髪を爽やかになびかせたアメリア・イヤハート女史が赤く塗られたロッキード・ヴェガ機に乗り、ハワイからアメリカ本土に渡る、初の単独飛行に成功して、世界の話題となった頃だ。

「この方……」

と、そっと呼ばれて、桐原邸にお邪魔した。

二人だけになったところで、道子さんは珍しく、子供のような羞じらいを見せつつ、

「……相羽様とのお話、どうやら、進みそうな成り行きなの」

相羽とは、例の子爵だ。道子さんの部屋の暖炉の火が赤々と燃えていたのを思い出す。

驚きに次いで喜びが込み上げて来た。道子さんが嬉しそうなのが、鏡に映すように、こちらに照り返されて来たのだ。

「……まあ、……おめでとうございます」

「恐れ入ります」

これはまあ、わたし達の言葉なわけで、世間の日本語に翻訳すれば《ありがとうございます》になる。

「どうして……、どういう……？」

「父に話してみたの」

お父様は、今年、少将から中将に進まれた。桐原陸軍中将。軍の重鎮の一人だ。しかし、家にある時は、女の子には弱いのかも知れない。なるほど、持って行き方によっては、お母様に持ち込むよりいい場合もあるだろう。

道子さんは続けた。

「……当たって砕けろ、というでしょう。取り敢えず、当たってみたの。だますわけにも行かないから、相羽様のお人柄も全て話したわ。そうしたら、父はしばらく考え込んでしまった。望みがないかと思ったら、大分経ってから《それも、あるか……》」

「ははあ」

「兄は大名華族のお姫様を貰うでしょう。もう、お話は進んでいる。――姉は去年、宮様にお輿入れした」

「ええ」

桐原家のご長女は、我々の学校の先輩でもある麗子様。在学中から評判の美しい方である。誰もが予想した通り、宮家に嫁がれ、プリンセスとなった。

「わたしには、経済界の方を考えていらしたようなの。三人の子は、それぞれに別の道を歩ませようと……」

　こっくりをする。だから、まず跡取り息子のいる瓜生財閥に白羽の矢を立てたわけだ。

「……多少、思惑とはずれるけれど、違った意味で、《別の道》ということにはなる。……父はね、こっそりといったわ。今のような世の中が、いつまでも続くとは思わないんですって」

「というと？」

「華族や士族のいるような今が……ね」

　なるほど大きな声ではいえない。陸軍中将、桐原侯爵の言葉としては意外なものだ。海外にも長くいらしたというから、視野が広く、硬直した頭脳の持ち主ではないのだろう。怒る時は烈火のごとくという評判だが、とにかく柔軟な方なのだ。

　もっとも、これが女神のごとき麗子様だったら、融通がきかなかったろう。末のお嬢様だからこそ自由になるところはある。

　また武人の中将には、娘が自分から意志を示したところが、かえって小気味よく思えたのだろう。こういう心の塩梅は、微妙なものである。

「……相羽様のお考えも、十分に頷ける……ということだったわ。ただ、何にしても肝心なのは相手の人物。軽薄な理想主義者では物の役に立たない。腰の据わった男かどうかが、問題だ……」

　侯爵様が乗り出し、色々と調査なさったのだろう。それを踏まえて《めでたし》という結果になりそうだという。

　半年経つが、ことは順調に運んでいるようだ。数年前に見えていた道を考えると、運命の大きな、しかし、喜ぶべき転換だ。

ただ一つ残念なことがある。

この間も、道子さんと話した。

「高等科にはいらっしゃらないのね」

「……それはそう」

と、道子さんは、細い眼で笑った。

わたし達も、後期の最終学年となった。道子さんのように恋の波乱のないわたしは、高等科に進むつもりだ。無論、この辺で親のいう通り、問答無用で片付いてしまうのが、普通の娘である。

割合からいえば、結婚なさる方や、おうちで花嫁修業に入られる方が五人に四人。前期四年、中期四年、後期三年、合わせて十一年も通えばもういいだろう——というのが、世間の常識。多数派の立場だ。

わたしが、少数派なのだ。

それだけに、親しい人が同じ道を来てくれないのは、正直なところ寂しい。

3

兄さんの悩ましげな背中に茶々をいれたりはしない。自分の部屋に戻った。

武士の情けというやつである。

一週間のうちでも、一番落ち着く土曜日の午後だった。しばらくは、あれこれ、つれづれなる物思いにふけった。

——結婚もまだなのに、離婚のことを考えるのも妙だが、子供の頃、愛読した『童話』という雑誌を思い出した。《離婚》と《童話》とは、妙な繋がりだ。実はそれに「アメリカ通信」という連載ものがあり、あちらの女性のことが書かれていた。気軽に行けない海の向こうが覗けて、《ふーん、ふーん》と思ったものだ。

とにかくあちらはレディ・ファースト、という話だった。そこに、離婚の話題が出て来た……と思う。

わたしは物持ちがいい方だし、洒落た綺麗な雑誌だったから、お気に入りの人形や江戸千代紙のように、特に大事にしていた。今もきちんと残っている筈だ。本棚にこそなかったが、物入れを探したらちゃんと出て来た。

元々は、兄が取っていた雑誌だ。投稿欄が充実していたから、それが目当てだったのだろう。《何かを書きたい》というのは、うちの文学士様の野望のひとつなのだ。

ただ兄は、夢想家ではあっても実践家ではない。考えているだけで、なかなかペンを握らない。構想何十年の力作を胸に抱えたまま寿命が尽きてしまう、というタイプだ。ある時、ぽつりと、

「大器晩成の人間が、夭折したら哀れだなあ……」

と、つぶやいていた。自覚しているのだろう。

えーと、あった、あった。わたしが子供の頃だから、大正の末あたりと思ったが、まさにその通り。大正十五年六月号だ。水谷まさるの「アメリカ通信」。

あちらでは、いかに女が幅をきかせているかが書かれた後に《とにかく、萬事がこの通り。夫婦になつても、つまらないことで、女は裁判所に夫を訴へて、別れたいといふ。たいてい、女の方が勝つ、然も、別れて後も、男がその女の生活のお錢だけは出さなくてはならぬといふやうな、馬鹿々〳〵しい話はいくつもある》とある。

ママがパパを裁判所に訴えるというのが、不思議で印象に残ったのだ。別れても生活の面倒はみてもらえるというのは、なるほど、パパの方から見たら《馬鹿々々しい話》かも知れない。ママからしたら、その後の生活のお金を出してもらわないと、安心して訴えられない。

あちらとこちらは事情が違う。いつかベッキーさんがいっていた現代日本の裁判――夫が賭事にふけり、悪い病気まで移された妻が、たまらず実家に逃げ帰った。それを夫が《けしからん》と訴えたことなど、アメリカの女性が聞いたらどうか。まして、裁判官が《妻の道を踏み外し、夫を侮辱した》とその女性を責め、《夫に従うのが当然》と断じた――と知ったらどうだろう。

どの国に生まれるかで、ことに弱い立場の者の生き方には、昼と夜の差がある。

銀座などでは洋服が目立つようになって来たが、いつかは日本の男の心も、アメリカに近づくことがあるのだろうか。

水谷まさるは、この回を、《みなさんが、お父さんや、お母さんになる頃には、日本はけつして、「男の威張る國」でもなく、また「女の威張る國」でもなく、共に手をつないで、尊敬し合ひ、優しくし合ふ、いい國になるでせう。それを望みます》と結んでいた。

すっかり忘れていたが、本当にそうだ。

おそらく、道子さんの作る家庭はそうなるだろう。なってほしい。

時が経ち、我々は母となっておかしくない年になった。しかし、人の世は、あまり変わっていない。とすれば、《その子が母になる頃には》と希望を繋いで行く。

それによって、社会も少しずつ形を変えて行く。そう思うしかない。

こうして昔の雑誌を引っ張り出すと、たちまち時が過ぎてしまう。

「アメリカ通信」だけ拾い読みしていても懐かしい。前の年の十月号、「ホールド・アップ」の回なども、《そうそう、こんなのもあった》と思い出した。

正しくは《ホールド　ユーア　ハンヅ　アップ》だという。銀座をぶらぶら歩くのが《銀ぶらといふ言葉になつたやうに、両手をあげろといつて盗みをする悪漢のことも、ホールド・アップといふやうになつた》。

これがニューヨーク名物で、人けのないところばかりではない、《まはりの五間以内に、人が通つてゐなかつたら》、賑やかなところでもやられてしまうという。

わたしの英語の家庭教師だったミス・ヘレンは厳しい人だった。しかし、わたしは子供の頃から、覚えた知識はすぐ振り回したい方だった。女史の、派手な柄の服を着た大きな背中に、後ろからそろそろと近寄り、

「ホールド・ユーア・ハンズ・アップ！」

と悪者っぽい声を出し、《エイコ・ハナムラ！》と大目玉をくらったことがある。フル・ネームで呼ぶのは怒りの表現なのだ。態度がよろしくないというより、正統英語に《手を上げろ》は似合わないらしい。

十五年五月号の「地下鉄道物語」も印象に残っている。地の底をもぐらのように電車が行く――というのが、物語めいていて子供心を動かした。単なる交通機関にない夢がある。《東京にも、いづれそのうちできるであらうが》という言葉が、今は、その通りになっている。わたしが初めて地下鉄に乗った時も、移動の手段としてより、大掛かりな玩具で遊ぶ感じだった。

地下鉄上野の駅に降りた時、改札口で、十銭白銅貨を投じると棒がカッタンと動き、中に入れる仕掛けを見た。他の人が珍しがるのに、わたしだけは旧友に再会したような気分になった。『童話』で読んでいたからだ。ニューヨークの地下鉄の《十字形の通せん棒》と書かれている。

今、読み返すとあちらでは《五銭の白銅を落す》となっている。五セントのことだろう。穴に《白銅を落さないと、いくら身體で押して入らうとしても駄目なのだ。ところが、白銅を落しておいて、その十字形の一つの餘地に身體を入れて、押しさへすれば、すぐに、ガチヤン！と大きな音をたてゝ、一廻轉するのだ。そして、身體はちやんとプラツトホームへ入つてゐるのだ》。

こういう仕掛けの説明は、心に残る。挿絵がついていたからなおさらだ。海を越えた彼方、アメリカはニューヨークの《十字形の通せん棒》。――子供の頃は、まさに別世界のものと思っていた。極端にいえば、空飛ぶ絨毯の類いだ。ところが今は、この東京で、ごく日常的なものとして、それを体験出来るようになった。

去年のお雛祭りの日には、待たれていた京橋、銀座間も開通し、その後すぐ、浅草から続く地下の道は新橋にまで繋がった。

変わらぬものもあれば、変わるものもある。

4

――それは去年のことだった。

一年経って……ということなら、去年の今頃の新聞に、《ルンペンさんが、三十貫もあろうかという真鍮のかたまりを拾った》という奇談が出ていた。警察に届け出たそうだ。これが一年でお下げ渡しになる。どうなったのか分からないが、生活が立て直せたのなら嬉しい――と、陰ながら思う。

一方、去年の事態が一年で大きく動いた、とはっきり分かるのは、道子さんのことの他にもうひとつある。

ブッポウソウだ。不思議なことに、ここ数年、この鳥に縁がある。

軽井沢で、農林省鳥獣調査室嘱託――という早口言葉のような役職の人にたまたま出会い、《世間一般にブッポウソウといわれる美しい鳥は、実はブッポウソウとは鳴かない》という驚くべき情報を得たのが三年前だ。

――人の世の常識とは何だろう。真実とされていることも、時には簡単に覆る。

怖い、と思った。

その時の、鳥の専門家、川俣さんに銀座の教文館で再会したのが、ちょうど去年の今頃である。六月の雨が降っていた。

《日本野鳥の会》というのが結成され、お仲間の放送局長が、群馬県の迦葉山から、ブッポウソウの声を全国中継するという。《よかったら聞いてみてくれ》といわれた。

友達にまで散々宣伝したが、天候の加減か、放送当夜、上州のブッポウソウは全く鳴いてくれなかった。

山が冷え込むと、ブッポウソウは里近くまで降りて来るそうだ。そこで、《ブッポウソウが人里で鳴くと凶作》という言い伝えがあるという。本来、深山幽谷の鳥だから、ふもとで鳴くのは《変事》なのだ。

それが禍事を呼ぶものなら、ご遠慮願いたい。まして山には、《さあ、美声をお聞かせ下さい》とマイクが仕掛けてあったのだから、なおさらだ。

学校では、まるでわたしがブッポウソウ当人――いや、当鳥というべきか――のように、《しっかりして下さいませよ》と、たしなめられてしまった。やれやれ。

ところが一年経って、今度は愛知県鳳来寺山からの中継が試みられた。

放送開始が、今月七日の午後九時五十五分。いつもなら、放送は終わっている。そういう遅い時間に、《深山幽谷の気を身近に感じられるよう、電気を消してお聞きください》と始まったのだ。念の入ったことである。

なるほどと思って、うちでも闇の中で耳を傾けた。去年、群馬では、うんともすんともいわなかったブッポウソウだが、この夜は、まことによく鳴いた。後で新聞に《鳴き声の投げ売り》と書かれたほどだった。前年の仇討ちをするような大成功だ。

もっとも、担当者は違うのだろうから、群馬の時の責任者は複雑な思いで、この放送に耳を傾けていただろう。

さてそれから、にわかにブッポウソウのことが世間で取り沙汰されるようになった。うちは新聞は、英字と『朝日』と『東京日日』を取っている。

日曜日、トーストにママレード、ベーコンエッグスにミルク入りの紅茶といった朝食をすませ、のんびりと『東京朝日新聞』第一万七千六百五十八号を開くと——まあ、そんなに細かくいう必要もないが、これが《確かに新聞に載りました》という証拠である——大きな活字で、

ブッポー……聲の主
正體〝このはづく〟

と出ていた。

「ほらほら、これこれ！」

と、家族に触れ回ってしまった。

《学界の謎を解く》ということで、今までのブッポウソウを《姿のブッポウソウ》とし、本当にそう鳴くのは《コノハズク》という鳥だと断定していた。

鳴くのは別の鳥とは聞いていたが、正体までは知らなかった。なるほど、そうなのか。

記事によれば、浅草の傘屋さんで飼われていた《コノハズク》が、論より証拠、そう鳴くのだ。黒田博士という、鳥の権威が確かめたので、もう間違いないらしい。

重大事件の犯人のように、《コノハズク》の大きな写真も載っている。フクロウに大きな耳を

つけたような鳥だ。

《俺は昔から、無心に鳴いて来たのに、人間は何を騒いでいるのか》とでもいいたそうな、きょとんとした顔をしている。

わたしは、前々から心の準備が出来ているからいいが、今朝、この新聞を開いて、びっくりしている人も、日本中にかなりいることだろう。

ことに《姿のブッポウソウ》を霊鳥と信じていた人は、こぶしをあげて怒っているかも知れない。聖像を破壊されたようなものだ。しかし、現に《コノハズク》に《ブッポウソウ！》と鳴かれてしまっては、喧嘩にならない。

この件は、これで決着がついたわけだ。

5

月末の土曜日には、久しぶりに麻布の叔父様がいらした。弓原太郎子爵。東京地裁の検事をなさっている。父の妹の松子叔母が嫁いでいる。ご夫婦揃ってのご訪問だ。

何か大人の用事があったのかも知れない。そちらの子細は知らない。兄は外出していたので、父母とわたしが晩餐を共にした。食後は一同揃って、くつろいだ話のやり取りになった。

「今日は、軍人会館で能がありましてね」

春にルービンシュタインがピアノを弾いたところだ。色々な集まりに使われる。ご夫婦揃って、お能を観にいらした帰りなのだ。

お子様がいらっしゃらないせいもあってか、お二人でよく観劇や展覧会に行かれる。愛妻家なのだ。松子叔母は幸せである。

「ご趣味がお広いですな」

と、父。叔父様は、煙草のエアーシップを取り出し、《よろしいですか？》と火を点じながら、

「いやいや、紙の上で人を殺すだけじゃありません」

叔父様は、余技で探偵小説などもお書きになるのだ。

「演目は何でした」

「左近(さこん)が『巴(ともえ)』をやりました」

左近とは、確か観世流宗家(かんぜりゅうそうけ)の名だ。

「ほう。しかし、能楽堂でないのは……」

「いや実はね、学生向けの招待能だったのですよ。だから、こちらのお目当てはむしろ別でしてね」

「何かあったのですか」

「『謡曲全集』をまとめた人が、講演をするというのでね、そちらが眼目でした」

「なるほど」

『謡曲全集』は中央公論社から刊行されている。新聞に大きな広告が出ていた。作ったのが野上さんという人だった。野上豊一郎。能楽研究の権威らしい。

去年、法政大学では、お家騒動が長いこと続いていた。その渦中にあって、策謀により身を引かされたとかいう人だ。復帰を求めて、四十七士ならぬ四十七教授が会合を開いたとかで、あれ

これ話題になっていた。

能楽への関心が主だろうが、叔父様達には《時の人の顔を見ておこう》という天真爛漫な興味もまた、多少あったのかも知れない。

松子叔母はいつも機嫌がよく、どうかすると子供っぽく見えたりするのだが、今日も屈託のない笑顔を見せながら、

「右を見ても左を見ても、女学生や中学生で一杯でしたわ。若い子を見ているのは、気持ちのいいものですわね。こちらまで若返ります」

叔父は、エアーシップの灰を灰皿に落とし、

「あの頃から能楽に触れておくのは、よいことでしょう。――しかし、中学受験の過熱ぶりは、いよいよひどいようですな」

《試験地獄》という言葉は、春の季語になりそうだ。毎年、その頃になると決まって新聞をにぎわす。

「難問、奇問が多いといいますけれど？」

今年の二月、文部省から、そのことを戒める通達が出た。

叔父様は、ふうっと紫煙を吐きながら、

「一概に、重箱の隅をつついてばかりともいえないだろうけど、まあ、相手がいたいけな子供だからなあ。――東京の名門中学なら、倍率が十を越すのもざらだろう。あの子もこの子も、ばらばらと落とされる。それだけに、落とす側への風当たりも強くなるさ」

普通、《試験地獄》といえば、中学入試のことを指す。中学に入れれば、ほぼ高校大学までの

道筋が決まる。帝大に直結している七年制中学などは、特に人気が高いようだ。

父が顎を撫でながら、わたしの顔を見て、

「英子などは、その点、苦労知らずだからな。春さえ来れば、黙っていても上に上がれる」

何か気のきいた言葉を返そうかと思ったが、《苦労知らず》はその通りなのだから、首をすくめておそれいっておくことにした。

父は、叔父様に向かい、

「小学校の受験指導も、なかなか、きびしいという話ですな」

「まあ、学校によりけりです。進学まで考える親は、最初から実績のある小学校に入れたがる。──そのため、わざわざ母親が子供と一緒になって住所を移す。そういうことも、あるようです」

末は博士か大臣か。親は子供に夢を託すわけだ。もっとも日本の子供の多くは、小学校を卒業すれば、働くわけだ。受験することさえ出来ない。試験を受けられた者の中で、さらに少しだけが先に進める。

中学の門は実に狭い。

「落とす落とされるといえば、──能の方にありましたな。あの──獅子が出て来る」

と、父がいう。叔父が頷き、

「《石橋（しゃっきょう）》ですか」

「そうそう。千尋の谷に、橋が掛かっている。それでしたっけ、親獅子が子獅子を、わざと谷に落とすという？」

　獅子はそうやって、上がって来た子供だけを育てるという。

「いや、《石橋》では落としませんな。落とすのは歌舞伎の《連獅子(れんじし)》でしょう」

「はああ」

　叔父様は、短い口髭を左手の先で軽く撫でながら、歌舞伎座の舞台でも思い浮かべているようだ。そして、やや高い声で暗唱した。

「……《恵みも深き谷間(たにあい)へ、蹴落とす子獅子はコロコロコロ》ですな」

《連獅子》なら観たことがある。そうだ、確かに、親獅子が心配そうに、上から子供を見守っていた。とはいえ、いくら《恵みも深き谷間》でも《蹴落と》されてはたまらない。

「取り敢えず働かなくてすむ子なら、せめて、試験の苦労ぐらいはさせるべき――という人もいるでしょうな」

　おやおや、耳が痛い。そこで松子叔母がいった。

「そういえば、――室町の《鶴(つる)の丸(まる)》」

6

　室町といえば三越本店のある辺り、鶴の丸は和菓子の老舗だ。古めかしい、立派なお店が室町にある。

　江戸時代、どこだかの、茶人で甘いもの好きのお殿様に《天下に並びなし》と気に入られた。

おかげで、その大名家の替え紋で打ち菓子を作ることを許された。今に伝わる、鶴が三羽で丸くなった形の《鶴の丸》だ。

打ち菓子といえば、普通は、微塵粉に砂糖、水飴などを混ぜて木型で抜く落雁である。鶴の丸では、そこに秘伝の一工夫があり、香ばしくおいしい。他にも、特製の水羊羹や、季節の野菜をお菓子にしたものがあり、評判のいいお店だ。

わが家が、麹町のせいもあって、お菓子といえば洋菓子の村上開新堂を、すぐに思い浮かべる。しかし、うーむ、鶴の丸の和菓子も魅力的だ。松子叔母の言葉で、紅茶を飲んでいるここに出してほしくなったが、いやいや、お菓子の話をしていたのではない。聞いてみた。

「あのお店が、どうかしたのですか」

松子叔母は、あどけなく笑い、

「鶴の丸が試験を受けるわけじゃないわよ。あのうちの子供が、来年、中学受験なのよ」

「ああ、——なるほど」

弓原家では昔から、お菓子なら鶴の丸と決まっていたそうだ。お出入りというわけで、あちらから届けにも来るけれど、お高くとまったところのない叔母だから、気軽にお店にも出掛ける。そのうち、同年配の若奥さんと親しく話すようになったという。

気が合ったわけだ。鶴の丸には、江戸時代からのお茶室もあって、拝見がてら、そちらでお茶をいただくこともある。お茶室といえば、密談には最高の場所だ。そうなってしまえば、華族も平民もない。天下国家などは論じないが、女二人である。開けた御代の有り難さ、あれこれと話の種は尽きない。

「女の子と男の子がいるの。男の子の方が、巧君といって、眼のくりくりした可愛い子よ。この間、小学校に上がったと思っていたら、もう受験の学年なんですって。——そうなったら、授業は流線形機関車みたいに早く進む、宿題は毎日、山のように出て、息つく暇もないそうよ」

「へええ」

どうやら、巧君は松子叔母のお気に入りらしい。

「前は、受験する子の補習が、遅くまであったそうなの——あちこちの小学校でね。それが、だんだん競争になって来た。よそには負けられないというわけね。度が過ぎるようになって、新聞や雑誌で叩かれた。文部省からも、よろしからずといわれた。だから学校の方も、あんまり極端な補習浸けには出来なくなったのよ。——でもねえ、肝心の受験がなくなるわけじゃないでしょう。子供の方は、かえって大変になったみたい」

多分、鶴の丸の子が通っているのも、多くの受験生を出す、特別な小学校なのだろう。

「でも、もうすぐ夏休みでしょう?」

一息つけるのではないか。

「それがね、新年度になった途端、担任の先生に《夏に休みがあると思った奴は、すでにして敗者だ》と、釘をさされてるんですって。鬼ヶ島の鬼みたいな顔で、《いいか、お前ら。ここでつまずいた者に、未来はないんだぞ》って」

「まあ、可哀想」

なるほど、《試験地獄》を実感する。和菓子屋さんの子供でも、甘い人生は送れないわけだ。

叔父様はそこで煙草を消し、松子叔母にいった。

「そうだ、お前、あのことを英子ちゃんに聞いてみたらどうだ」

「え？」

「ライオンのことだよ」

7

何だろう？

「あら、あれは、《ご内聞に》という類いの話でしょう」

と、松子叔母。

「しかし、鶴の丸の奥さんは、大分、胸を痛めてるんだろう。——英子ちゃんは、いつだったか、大変鋭いところを見せてくれたよ。我々よりは、子供の年に近いんだ。何か気のつくことがあるかも知れん」

父が身を乗り出し、こちらをちらりと見て、「英子が何かしましたか？」

実は数年前、ある犯罪事件の真相について、叔父様にこっそり、意見を述べたことがあるのだ。それで随分、感心されてしまった。

「いや、英子ちゃんはね、あれこれ話をしていると、時に、我々の気づかんようなことに、ぴたりと星をさして来るんです。そういう得難い才がありまして——」

事件の方は、お仕事上の秘密に属するのだろう。叔父様は、ぼかしてそういった。

「……そうですかなあ、……これが？」

と父は半信半疑ながらも、一応は娘を褒められたわけだから、満更でもない顔をしている。

「ルカ伝」によれば、《預言者、郷里に容れられず》。例えば、新興宗教の開祖などでもそうだ。子供の頃から見ている人には、楽屋内を知っている二枚目スターのように、あまり有り難く感じられないものだろう。

——わたくしめも、またそうなのですよ、お父様。ほほほ。

と、思いながら、

「鶴の丸のお子さんが、どうかしたのですか？」

松子叔母は、やや、いいしぶる様子を見せつつも、

「内緒ですけれどね、この間、……補導されましたの」

「はあ？」

意外な展開だ。叔母は、あわてて、

「いえ、別に——暴力事件とかそういう不祥事ではないんです。ただ上野を一人で歩いていて、見回りの巡査に誰何（すいか）されたんですの」

わたしは首をかしげた。

「男の子ですもの。まして、おうちは室町なんでしょう？　だったら遠くない。上野ぐらい、一人で歩くでしょう？」

西郷さんの銅像や不忍池、東照宮——名所がずらりと並んでいる。動物園や科学博物館といった、男の子の喜びそうなところまである。何の不思議もない。

と、考えたところで、気がついた。

「上野は上野でも、どこか、——いかがわしいところだったのですか？」

「美術館の辺りだそうよ。別に、おかしなところではない。ただ問題は、……時間なの」

「え？」

「夜の九時過ぎだったの」

「ああ……」

なるほど、小学生の出歩く時間ではない。博物館や美術館だって、当然、閉まっている。そこを、月光に照らされながら、浮浪児とも思えない小学生がすたすた歩いていたら、これは目立つだろう。どこか幻想的な眺めでもある。

「誰も連れずに？」

「ええ」

「おうちの方はご存じなかったのですか」

「それがね、《お友達と、算術の分からないところを教え合うんだ》といって、食事の後、勉強に出かけた——というんです。おうちがすぐ近くだし、よく行き来している。前にそのお友達が来て勉強して行ったこともある。だから、何の心配もせずに《ああ、いいよ》と送り出したそうなの。疑う理由もないし、巧君というのが、およそ嘘をつくような子ではないのよ」

「はい」

「鶴の丸には商売柄、電話があるわけ。警察から《すぐ引き取りに来い》という電話が入ったから、家中、引っ繰り返るような大騒ぎ。お父さんがあわてて出掛けた」

「そして、連れて帰って来た？」

「ええ。さすがに巧君は、悄然と肩を落としていたそうよ。《面目次第もございません》ってところね」

それまで黙って話を聞いていた母が、

「でも、どうして夜に出掛けたりしたのかしら？」

「それなのよ。警察でも、当然それを第一に聞かれたらしいの。何が巧君をそうさせたか。答えは……《試験地獄が》となる」

母はけげんそうな顔をしたが、父の方は頷き、

「うむ、頭の中がややこしくなったわけだ。それでついふらふらと、子供でも行ったことのある上野の森に足を向けた——というわけだ」

「そうなのよ。ぽつんぽつんと出た巧君の言葉を、拾って繋げるとそうなるの。綺麗にいえば気分転換ね」

「だとしたら、大川に行かれて身でも投げられなくて、まあ、よかったわけだ」

分からなくはない。親の期待を背負っているのだ。商家の息子に学問はいらん、という家もあるだろう。これは考え方次第だ。逆に親が、学問に大きな権威の幻想を抱いていたらどうか。気の弱い子なら、重荷に押し潰されもするだろう。

室町なら、地下鉄の駅でいうと《三越前》が目の前だ。とんとんと階段を降りて、改札口に十銭白銅貨さえ投じれば《十字形の通せん棒》がカッタンと開く。誰でも通してくれる。切符を買う時、《こんな時間に子供が？》という眼で見られることもない。地下鉄を使ったのではないか。

やって来た黄色い電車に乗り込んで、神田、末広町（すえひろちょう）、上野広小路（ひろこうじ）と過ぎれば、次はもう上野なのだ。

地下鉄の終電は、市電より早いのかも知れない。それでも真夜中近くまでやっている筈だ。帰りの足を心配することもない。

「――見るからに老舗の跡継ぎらしい、おっとりした坊やだから、警察としても、それ以上は疑わなかった。でも、当人が悪いことをしなくても、被害者になる心配なら十分あるでしょう。東京市に虎狼（ころう）は出ない。しかし、それより怖い人間という猛獣がいる。昼間と同じつもりで、夜の街をうろつきなさんなよ――という訓戒をきびしくされて、巧君は、放免になった」

わたしは《なるほど、なるほど》と頷いたが、ちょっと待て、それだけなら《試験地獄》が生んだ、ちょっとしたエピソードに過ぎない。

――それが、どうして、ライオンと繋がるのだろう？

8

聞いてみた。すると、

「それがね、お父さんが上野の警察に出掛けた後、お母さんの方は、おろおろしながら、巧君の机を見に行ったそうなの」

よく分かる。気持ちはあせるのに、することがない。これでは落ち着かない。当てはなくとも、子供がいたところに向かう――人情の自然だろう。

「巧君の日記帳があった。丸善で買って来て、つけ始めたんですって。今までは、《我が子といっても、もう親に見られたくないこともあるだろう》と、開いたりはしなかった。でも《緊急の場合だ。何か書いてあるかも知れない》と手に取った」

「ふむ」

と、父が腕を組む。

「ざっと見ても、格別のことはない。ただ、当日のページに、《ライオン》と書いてあったの。その下に、《浅草》《上野》とあって、《浅草》の方は横線を引いて消してあった。――まさに《上野》が残っている」

「ほほう。――となれば、何かな、急にライオンが見たくなったのか」

父がいったので、わたしが、

「それは……変でしょう」

「しかし、浅草、上野でライオンとなったら、どう考えたって、《花屋敷》と《動物園》だろう」

《花屋敷》は、明治の昔から浅草にある、有名な遊戯場だ。あやつり人形や山雀（やまがら）の曲芸、動物園が呼び物である。そういえば、ライオンに子供が生まれたというのがニュースになっていた。天下の《上野動物園》については、あれこれいうまでもあるまい。

父は続ける。

「――花屋敷よりは上野の方が近い。だから、浅草を消して、《こちらにしよう》と出掛けたのじゃあないか」

「でも、どっちにしても、夜はお休みでしょう？」

「いや、だからまあ……ライオンの近くに行ければよかったんじゃあないかな。夜の動物園というのも、どことなく神秘的だ。……子供のことだからな。思い立つと急に、動物の近くに行きたくなった」

どうも、腑に落ちない。松子叔母に聞いてみた。

「その《ライオン》のわけを、お母さんは聞いてみたんでしょう？——当の巧君に」

「勿論よ。そうしたら、怒った調子で《何でもないよっ！》といわれてしまった」

「——強い調子で？」

「ええ、変でしょう？　それまでは、すっかりしょげて、《ご心配をおかけいたしました》と、両手を突いていたそうなの。それでなくても、普段からおとなしい子なのよ。親に荒い口調で、物をいうことなんてない。——ところが、《ライオン》のことを持ち出した途端にそれでしょう。——気になって、あれこれ、考えてしまった」

「どんなことを？」

「《夜、出歩いていた》んだから、やっぱり心配なのは不良仲間よ。——世間では、若い子の、ナントカ団やナントカ組、ナントカ小僧とかいうのが流行っているでしょう」

そういわれればそうだ。不良集団のことがよく新聞に出ている。ゆすりたかりから窃盗、若い娘を捕らえて人身売買しようとする連中、政治結社めいたものまで色々あるようだ。

何にでも流行り廃(すた)りはある。こういうものでも、一つ出ると後から真似をしたくなるのだろう。

母がおかしそうに、

「ライオン団？」

そこで、わたしは、

「あら、冗談ではないのよ。お正月の頃には、《猫団》というのが捕まったわ」

「まあ、猫じゃ弱そうね」

「夜歩くから《猫》なんじゃないの。仲間の連中は、それぞれ、三毛猫とか白猫とか名乗っていたみたい」

——冗談ではない、といって説明を始めたのに、そこでまた笑われてしまった。

わたしは、つまらないことは忘れない方だ。《猫団》というのが出て来るのも、これが初めてではない。確か、何年か前にも《関東小僧夜の黒猫》率いる別の《猫団》があった。

思い出すままに、動物のつく名を挙げれば《河童団》《白狼団》《青竜団》。変わったところでは《白骨団》《鉄血団》《血桜団》。さらに変わったところでは《街の潜航艇》、さらにさらに変わったところでは《桃色の秘密団》なんてのまであった。

笑ってはいけない、本当である。全部、新聞に出ていた。

別に覚えようとも思わないけれど、おかしいから頭に入ってしまう。これだけ出ると、今度は逆に対抗しようという子供達が《探偵団》などというのを作っても不思議はない。《少年探偵団》だ。

——いや、それも無理か。不良団体にはお金を稼ごうという差し迫った必要性がある。しかし、探偵団体にはそれがない。《そんなことはやめて勉強しなさい》と、親にいわれたらおしまいだ。探索のため、夜、上野に行っただけで補導されてしまう。

不良団体なら、そんなことは最初から気にしないだろう。活動は活発だ。最近でも、ブッポウソウの件のすぐ後に、《浅草紅団》検挙という記事が出ていた。色や動物は、こういう集団の名前になりやすいらしい。

とすれば、浅草や上野を根城とするなら、動物園にあやかり《ライオン団》とつけても不思議はない。決して、突飛な空想ともいえないのだ。

松子叔母の話は続く。

「――学校で、変なお友達でも出来たんじゃないか。悪い仲間から、呼び出しでも受けたんじゃないか。――まあ、お母さんの方は、そんな風にあれこれ心配してしまったわけ」

女親には男の子が格別可愛いそうだ。気を揉むのも、無理はなかろう。誰もが、中江藤樹（なかえとうじゅ）の母のように、愛を持ちつつ突き放して育てるわけにもいかない。

「巧君は、その後、どうしているのですか」

「今までと全く同じ。ごく普通の、真面目な小学生に戻っているそうよ。――夜の上野に出掛けたのも、空の月に化かされたような一時の気まぐれにしか思えない」

「はああ」

「でも、それだけにね、《この子は何を考えているんだろう？》と、思い出してはどきりとするそうなの」

子供も、いつまでも《子供》のままではない。親に見えないものを、胸に抱えるようになる。

「――ライオンのことですね」

「そう。《何でもない》と拒否された時の、顔や声がよみがえって来るんですって。巧君としたら、日記を覗かれたことが、もうそれだけで不愉快らしい。メモの件になると、貝のように口を閉ざしてしまう――さあ、そうなると逆に《何かある》と思えてしまう。かといって、つつきようがない。《何でもない》んですものね。——気のせいか、今までと同じに見える顔付きや肩の辺りに、どうかすると、ふっと憂いの色が見える……ような気がする」

松子叔母は自分が巧君の母親になったように、ほおっと溜息をついて続ける。

「……顔色が悪くなったり、食欲が落ちたり……そういう目立ったことはない。ただ、母親の眼で見ると、どことなく感じられるのね。オブラートの向こうに何かが見えるような感じで、どうも落ち着かないそうなの」

叔父様が、話を引き取り、

「——そういうわけなんだ。何とも茫洋としていて摑みどころがない。実際には、たまたま思い浮かんだ単語をメモしただけで、《何でもない》というのがまさに真相かも知れん。現実というのは、散文的なものだからね。——しかし、どうだい、英子ちゃん。若い眼で見て、何か気のつくことはないかい？」

首を横に振るしかない。父が、

「ライオン……というビアホールもありますな。カフェもある」

「小学生ですからね。さすがに繋がらんでしょう」

「じゃあ……歯磨きか」

芥川龍之介の小説を読んでいたら、煙草を切らしたので駅の物売りに、

——朝日をくれたまえ。

という場面が出て来た。すると、

——新聞ですか？　煙草ですか？

と、問い返されてしまう。芥川当人と思われる主人公は、神経にピリピリピリッと来てしまい、

――ビール！

と、答えるのだ。

なんだか、そんな一節を思い出してしまう。

「しかし、歯磨きじゃ何の説明にもならんな」

「後は、せいぜい――ライオン宰相ぐらいね」

東京駅で狙撃されて亡くなった浜口首相が、確かライオンといわれていた。これも単なる連想でしかない。

結局、預言者英子はご期待に応えることも出来ぬまま、弓原の叔父様達を見送ることになってしまった。

9

分からぬことがあると相談するのは、いつもベッキーさんだ。

月曜日、学校に向かって車が走り出すと、すぐに尋ねた。

「ねえ。《ライオン団》なんて、聞いたことはない？」

白麻の制服の背中が答える。

「……は？」

気がせいて、無理な質問をしてしまった。説明を加える。

「あるうちのお坊ちゃんがね、そんな連中と拘わったかも知れないの」

「――と、おっしゃいますと、街の子供のグループですか？」

「そんなところよ」

「さて……別宮は寡聞にして存じません。そういうものが有名になるのは、捕まった時ぐらいでしょう」

それはそうだ。何でも知っているようなベッキーさんでも、さすがにこれは無理だろう。

「この間の、《浅草紅団》みたいにね」

「さようでございますね」

「あれって、元があるわよね」

「はあ……」

と、いいかけて、ベッキーさんは珍しくためらい、

「……川端康成でございます」

わたしは、くすりと笑い、

「刺激が強過ぎる？」

ベッキーさんも笑って、

「ご存じでしたか」

「だって、うちは朝日新聞を取っているもの」

川端康成作、『浅草紅団』。新聞の連載小説だ。

「ああ、なるほど。――しかし、もう大分、前のことでございますよ」

「そうね、わたしが……十を越した頃かしら」

制帽の頭が、ちょっと傾く。

「そのお年で、《あれ》をお読みになったのですか」

川端の新聞小説には、確かに子供に読ませたくない、ねっとりしたところがある。まあ、子供なのに読んでいたわたしがいうのもおかしいけれど。

「ええ。——でも、きっと刺激は、今読んだ方が強いでしょうね。あの頃には、よく分からないところが多すぎたわ」

「それでも、お読みになったのですね」

「ええ。分からないだけに、不思議の国を覗くようで面白かったの」

「そういうものかも知れませんね」

フォードはゆっくりと進んで行く。胸に八重桜の記章をつけた制服の乙女が、車の中でこんな話をしているとは誰も思うまい。

ベッキーさんはいう。

「今度の《紅団》の手口が、小説そのままでございましたね」

現実と物語が、互いに擦り寄ることはあるだろう。確か『紅団』連載中の川端も、《紫団》というのが実在すると知ってびっくりしていた。これは愉快だった。

「——どの辺りが？」

「おや、余計なことを申しました」

「駄目よ。ベッキーさんが、いいかけたのよ」

「はあ、……売り飛ばそうとする娘を、監禁していた時の手口です」

「ああ……」

逃げられないように、着ているものを全部はいで閉じ込めておいたのだ。奇妙なことに、小説のそこを覚えていない。いかにも胸に鋭く突き刺さりそうなところなのに。

おそらくは、忌まわしさが記憶に蓋をしたのだろう。心の中でも、そんな交通整理があるのだ。

「新聞記事を見て、最初は《川端康成を真似たのだろうか？》と思いました。しかし、そういうことがあるから、小説に書かれた――というのが本当なのでしょう。世の中には、ひどいことをする連中が、実際にいるのでございます」

10

次の日曜日、室町の鶴の丸に行ってみた。

この辺りは普段、三越以外に縁のないところだ。あらためて車の窓から眺めると、銀行が多い。銀行は信用第一。信用を形にしました――とばかり、建物が立派だ。肩肘張った大建築が並ぶ。

大きい通りを折れてちょっと入ると、モーニングコートの恰幅のいい紳士に挟まれた、羽織袴のおじいさんのように、鶴の丸の古い建物があった。

鋪道に降りると、日差しが暑い。ビルの谷間の向こうに、綿を引き伸ばしたような雲が、両端を建物にカットされて見える。

ベッキーさんは、きらきら光る硝子戸越しに中の見える位置に立っている。わたしは、お店に入り、時節柄、日もちする干菓子を買った。

さすがに、そこで巧君やお母さんの顔を見られるような、都合のいい偶然はなかった。お菓子は、店員さんが愛想よく包んでくれた。まずは、お店の位置が確認出来ればいい。

外に出て、パラソルを広げる。

「ベッキーさん。車を、上野の美術館の辺りまで運んでおいてくれない？」

「――博物館と美術館の間が、広い通りですが」

「そうね。あの辺に停めておいて」

「いかがなさいますので？」

「地下鉄で上野まで行ってみる」

最後に乗ったのは、もう五、六年前になるだろう。《空気が悪い》といって、父がいい顔をしないのだ。わざわざ下に潜る必要もないから、長いことご無沙汰していた。こういう話が出て、わたしの頭に《地下鉄》と閃いたのも何かの縁である。

「お一人で？」

「そうよ。だって、フォードは、地下鉄に乗れないでしょう」

「さようでございますか」

ベッキーさんは、にこりともしない。

どうやら、心配しているらしい。ちょっとおかしい。昼間の東京である。デパートの中などは、よく一人でも歩く。それと、たいした違いもないだろう。

「《三越前》はどっちかしら？」

ベッキーさんは、広い通りの方を示し、

「あちらを、こう曲がるとすぐ三越でございます。三越を見損なうことは、ございませんでしょう」

「ありがとう」

歩きだす。お行儀が悪いが、左手で持ったパラソルの柄を右手で、くるくるっと回した。白い鋪道の画布の上で、影の円が踊る。

なるほど、三越がすぐ眼に入った。中を抜けて、下に降り、地下鉄に向かう。デパートは庶民の宮殿といった人がいるが、まさにその通り。三越の地下通路は、明るく輝いている。

さて、改札口が見えて来たところで、びっくりした。子供心に懐かしい、カッタンと回る《通せん棒》がないのだ。どうしたことだろう。

答えは——というと、切符売場があり、料金表が出ていたから想像がついた。

改定されたばかりらしい。上野広小路まで五銭、上野が八銭、浅草までが十銭だ。細かく分けられている。

——なるほど。

商売は競争だ。市電もあればバスもある。物珍しかった頃とは違い、地下鉄も、もう《遊具》ではない。《交通機関》になってしまったのだ。十銭均一では、お客にそっぽを向かれるのだろう。そうなれば、あの改札口の機械も使えない。無用の長物として、お払い箱となるしかない。

ああ、それにしても、わたしにとって、地下鉄の印象そのものであり、遠いニューヨークを感じさせてくれた《からくり仕掛け》が、いつの間にか消えうせていたとは！　ちょっとした浦島太郎か、『リップ・バン・ウィンクル』の気分だ。夢見る時は過ぎたのだよ、現実に眼を向けなさい――といわれたようで、ちょっと寂しい。

これで、巧君が地下鉄を使ったのではないかという理由の一つが消えた。しかし、そう閃いたわけなら他にもある。いたって単純かつ明快なわけが。

わたしは、切符を買ってプラットホームに入った。見えるのは、当然のことながら、向かいのホームである。視界が広がっているわけではない。

これだ。

市電やバスの停留所は、四方八方から見られる。生まれ育った土地なのだ。顔見知りも多いことだろう。これが巧君にとって、心理的な抵抗にならないだろうか。

また、壁に覆われた地下鉄には夜がない。遅い時間、一人で歩くことなど初めての巧君だろう。暗い室町停留所に立つより、こちらの方がより安心感があるのではないか。

……と言葉を並べても、結局のところ、不確かな当て推量といわれればそれまでだ。しかし思い込みの激しいわたしには、問題の日、このホームに立っている巧君の姿が見えるようだ。

やがて、ぽっかりと闇の奥に向かって開いた穴から、轟々と音を立て、黄色い電車が滑り込んで来た。

11

休日の上野の山は、いつ来ても大変な賑わいである。

わたしは、青いボンネットを被った洋装。さすがに、人の大勢いるところでは、パラソルを回したりはしない。

西郷さんに挨拶をし、小松宮（こまつのみや）様の銅像の前を抜けた。歓声や笑い声の間を縫い、動物園の方に進む。中に入ろうというわけではない。ライオンの話が出たから、せめて入口のところを通ろうというだけだ。《気のつくことがあるかも知れない》と淡い期待もした。しかしながら子供達の歓声を聞いても、身内から滲むのは汗ばかり、知恵は出て来ない。

二本杉原からベッキーさんとの待ち合わせ場所に向かおうとした時、前から女の子が近づいて来た。

「……お姉さん」

哀しげな声だ。左右を見てしまった。他にそれらしい人はいない。声をかけられたのは、このわたしである。足を停めた。

少女が着ているのは、模様の大きな、色の褪（あ）せた浴衣。それに、帯というより伊達締めという感じの細い布を、おかしいぐらい胸高に結んでいる。下駄の音をカランとさせながら、さらに寄り、

「絵本、買って頂戴」

そういえば、薄い本の束を抱えている。どこかで処分されたものだろうか。色とりどりだが、綺麗な本とは思えない。

それでも、あまり嫌な気持ちにならないのは、少女の賢そうな顔立ちによるのかも知れない。

「おうちで、……妹と弟が、お腹を空かして寝ているの」

荒れ果てた家の内が眼に浮かんだ。

「四冊十銭なんだけど……」

そういわれて、心が動いた。十銭なら、わたしにとって、どうということのない金額だ。それで、この子が助かるなら出してもいい。しかし、絵本はいらない。処分に困る。売れるものなら、他の人に売ってもらいたい。かといって、ただお金をあげるのは失礼だろう。子供心を傷つけてしまう。

――年頃からいえば、ちょうど鶴の丸の巧君ぐらいだろうか。

そこで、いい考えが浮かんだ。

「あのね、お姉さんはね、今、あることを調べてるの。質問に答えてくれたら、十銭あげましょう」

少女は、不審げに眉を寄せた。商売を取り締まる側の人間かと、勘ぐったのだろう。わたしは、急いで言葉を継いだ。

「――この上野で、《ライオン団》なんて聞いたことないかしら？」

勿論、答えは《知らない》でいい。お金をあげるための方便だ。

少女はふうっと眼を細くし、俯いた。表情が見えなくなった。考え込んでいるらしい。やがて、水が落ちて鹿威し（ししおど）が跳ね上がるように、ぽんと顔を上げ、

「橋のところにさ、ライオン祀った神社があるんだ」

「え？」

「夜になると、そこに集まる人達がいるよ」

聞き捨てならぬ言葉だ。

「橋ってどこ？」

「あの、――省線またいでる橋」

科学博物館や学士院の先に、そういう長い橋がある。確か両大師橋（りょうだいしばし）。川ではなく、現代の大河――鉄道線路の列を越えるために掛かっている。

「子供達も来るの？」

「うん、小さい子もいるよ」

少女は、あどけない口調で続けた。

「――近くだよ、ちょっと見てみる？」

ためらった。

「変な人達はいない？」

「昼間だからね、神主さんとお巫女（みこ）さんがいるだけだよ。――十銭で案内してあげる」

そうだった。約束の十銭を渡すと、少女は先に立ち、千鳥がつつっ、つっと進むように、器用に人波をよけながら歩きだした。わたしは見えない綱でもつけられたように、その後に付いた。

山下から谷中へ抜ける通りを渡る。右手が大きな両大師橋に続き、左手の向こうに帝室博物館がある。小手をかざして、博物館の方を見る。

まだベッキーさんは来ていないようだ。

「こっち、こっち」

と、少女が呼ぶ。

12

わずかに通り一つ越えただけで、晴れた日が突然曇ったようだ。賑やかな人々の群れの間から、静寂の中に入る。

少女は先に立って、細い路地を曲がった。わたしを、くるっと見返して、

「すぐ、そこよ」

迷いのない口調につられて、路地の入口から石畳の続く細い道に足を踏み入れた。

いつの間にか、わたしのすぐ後ろに、土地の子らしい洋装の女の子達が続いていた。だから、全く人けのないところでもない――という気持ちもあった。

二十歩も歩いたかという辺りで、少女の右手が口元に伸び、後ろ頭が傾いた。ヒヨドリの鳴くような音が数回、空に響いた。指笛を鳴らしたのだ。手を離すと、こちらを見て、

「うまいでしょ、もっと出来るよ」

その顔が、今までより随分と年上に見えた。ぞっとするような変わり方だった。

思わず足を停めた。後から来た女の子達が、当たり前なら、わたしを追い抜いて行く筈だった。だが、そうはならなかった。背中や横手に、その子達が張り付いた。四、五人いる。

「さあ、おいでよ、お姉さん」

いいながら少女は、絵本の束を差し出す。女の子の一人が、前に出てそれを受け取った。少女はあいた両手で、帯の位置と襟元を整え、背筋を伸ばした。緩んだ、あどけない感じはもう微塵

もない。

わたしは気圧（けお）されて、いかにも間の抜けた返事をしてしまった。

「――いえ。もう結構」

蜜柑（みかん）色のスカートをはいた子が、

「結構だってさ、キイちゃん」

といって、八重歯を剝き出した。キイちゃんというのが、少女の名前らしい。

キイちゃんがいう。

「ほら、お巫女さん達だよ」

「……ライオンの神社は……」

キイちゃんは、珍しい獣でも見るような顔をして、

「――お姉さん、――あんた、馬鹿じゃないの？」

なるほどそうだと思えて来た。左右の腕を両側からつかまれていた。突き飛ばして逃げられるだろうか。そう思った時、細みのナイフが鼻先に突き付けられた。

「ねえ、もうちょっと先でお話ししよう」

「……何を」

「取り敢えず、《今度は、五十銭頂戴》とか……ね？」

「お金なら、全部あげる」

「ふん、ありあまってるのね」

「そんなにないから、がっかりしないで」

キイちゃんは手を伸ばして、わたしのパラソルを取り、畳んで、釣竿でも背負うように肩に乗せた。それで、ぽんぽんと肩を叩きながら、

「足りないなら足りないで、――ね、色んな払い方があるんだよ。――知らない？」

女達は、笑いの詰まった箱を、ぱっかりと開けたようになった。

照りつける日が、頭に暑い。喉の奥まで、その日に照らされたように水気がなくなった。どうして叫ばないのだろうと、自分でも思うけれど、声が出ない。

脇にも路地があり、そこから枯葉色の鳥打帽を被った背の高い男がのっそりと出て来た。キイちゃんがいう。

「ほら、神主さんだよ」

先程の指笛が合図だったのだろう。《ちょっと先》が集合場所か。

男は、私を見て、

「ありゃりゃ」

と、奇妙な声をあげた。

背中を突かれ、腕を取られて、さらに数十歩行く。右手は寺の塀らしい。大きなブナの木の枝が中から張り出し、涼しい日陰を作っている。そこに塗り壁を背にして立たされた。しんと静かだ。

「いいうちの娘（スメ）じゃないか？」

「分からねえよ。一人で歩いてたからね」

キイちゃんの口調が、男っぽくなった。

「へえ」

「ただのモガかも知れねえ。だったら、いいけどさ。——名のあるうちのスメ公に手を出したら、サツが本気になるぜ」

キイちゃんの年が、ますます分からなくなった。ただ、娘達を束ねているのはこの小柄な子らしいと分かった。

「親父は侯爵様じゃねえか」

と、男がいったのは、今年の春、わたし達の学校の侯爵家令嬢が家出をし、世を騒がせたからだ。何と半月もの間、浅草で女給として働いていたという、信じられないような事件だった。

「華族のお嬢様が、そんなに何人もふらついててたまるもんかい」

「そりゃあそうだ」

「いずれにしたって、仕事は素性を聞き出してからだよ。いわくつきのスメかも知れない。やたらに藪をつつくわけにゃいかねえのさ。——おっかねえことは願い下げだからね」

「おいおい、キイちゃん、情けないこというなよ」

キイちゃんの声が尖った。

「何だって？　誰に口をきいてるんだい。はばかりながら、こっちは今孔明だ。おめえみてえに、だらしなく涎（よだれ）を垂らさねえだけさ」

「へへ、相変わらずきついな」

男の指が、わたしの頤（おとがい）にかかった。《頤》という言葉を、初めて読んだのは『浅草紅団』だった。それが下顎だというのは、前後関係で分かった。小説だと、頤に手がかかると次に接吻される。話の中なら、それこそ上野動物園で檻の中のライオンを見るように、冷静にどきどき出来た。実際に顎を持ち上げられると、恐怖も屈辱も越えて、ただ眼がくらむ。《やめて》という声さえ出ないのだ。膝が揺すられるように震えた。

「たまらねえハクい面(メン)だぜ。えへっ、可愛い眼で見てやがる。——キイちゃん、おめえ、白ネズミを絞め殺したことがあるかい」

「気味(きび)の悪いこと、いうんじゃないよ」

「温かくてよ、手の中で、白い心臓みてえにどきどきしやがるんだ。そいつをぎゅっと絞めてくと、赤い眼がよ——こういう目付きで見るんだぜ」

男は、わたしの顔を覗き込み、

「——俺あ、こいつとしばらく、旅(ビタ)にノッてもいいや」

「ふん、ドロンされたら、こっちがいい面の皮だ。一人だけ、甘いもの食おうったってそうはいかねえ」

そこまでいって、キイちゃんは人差し指を唇に当てた。左手で、壁に向かって払うような仕草をする。女達が、わたしを後ろ向きにして塗り壁に押し付けた。額が漆喰に当たる。日陰の壁は、ひんやりと冷たい。

キイちゃんは、わたしに寄り添い、脇腹にナイフを寄せた。

「そのままでいるんだぜ。面(メン)を見せたり、声を上げたりするんじゃねえよ」

誰か来るようだ。のどかにも、とろんとろんとした靴音が聞こえる。私の胸の、早鐘のような響きとは対照的なリズムだ。

ニューヨークでは五間以内に人がいないと《ホールド・アップ》されるという。五間よりは近づくだろう。しかし見て見ぬふりは世の常だ。近づく誰かさんが、せめて警察に通報してくれないだろうか。

時間の感覚が消えた。いつまでも、同じ状態が続いているような気がした。だから、突然、事態が動いた時は、映画のフィルムがいきなり入れ替わったようだった。別の世界に飛んだような感じ。

何かを打つ鈍い響きと、石畳に弾ける金属音。わたしの周りの女達が、はじけるように消え、覚えのある香りがふわりとそれに替わった。

声がいった。

「——お嬢様。別宮がついております」

13

ベッキーさんの背に隠れるようにして、身を縮めながら振り返る。

二人の女が尻餅をついていた。キイちゃんは手を押さえている。ナイフは石畳の上に、魚を落としたように転がり、光る刃先が揺れている。ベッキーさんは拳銃を構え、その先はしっかりと男の胸に向かっていた。

わたしは思わず叫んだ。

「殺さないでっ！」

その声に、男は眼を剝いた。あわてて後ずさって転びかけた。

ベッキーさんの声が、低く響いた。

「このお方に手を出すと、お前達のためにならないよ」

キイちゃんが、手の甲を撫でながら、

「ほおら、いわねえこっちゃあねえ。——やっぱり、ただのスメじゃなかったろう」

男は口元を歪めながら、

「の、呑気なこといってるんじゃねえよっ。おい」

「情けねえなあ、男だろ。どうせ死ぬ時は死ぬんだ。じたばたするんじゃないよ」

「よせよ、人ごとだと思いやがって」

「人ごとじゃあねえよ。だけど、仕方ねえだろう。——この人にゃ、あたい達が七福神で掛かっても、かなやしねえさ。——スメを人質(タテ)にとるしかねえが、そいつは先刻ご承知だ。タマを取られたからにゃ、もうこっちの負けさ」

男は耳にキイちゃんの言葉を聞きながら、眼はベッキーさんから離せずにいた。気迫が男を縛っているのだ。

「おい、分かったからぶっそうなものは仕舞えよ。こいつらは下がらせるから」

「ふざけるねえっ！」

と、怒鳴ったのはキイちゃんだ。

「——下がらせるのはあたしだよ。おめえに指図されるいわれはねえ。おい、みんな、消えようぜ」

　キイちゃんは腰をかがめて、ナイフを拾う。ベッキーさんは、相手の小さな動きにも油断なく気を配っている。

「それじゃあどうも、おやかましゅう」

　キイちゃんはぺこんと頭を下げ、仲間達のしんがりになって、路地の奥へ走って行く。

　ベッキーさんは、わたしの手を引き、

「お嬢様、急いで賑やかな通りに参りましょう。新手(あらて)を連れて来ないとは思いますが、用心するに越したことはありません」

　わたしは頷いて走りだした。路地を抜けたところで、《あっ》といった。

「どうなさいました？」

「パラソルを取られた」

「それぐらいは薬代です。危ない落とし穴は思いがけないところに開いています。よく、お分かりになったでしょう」

「本当、薬になったわ。ごめんなさい」

　ベッキーさんがいなかったら、今頃、どうなっていたか分からない。夏だというのに、改めて背筋が寒くなる。

「頭立(かしらだ)つ者だけでも、警察に突きだしたいところでした。とはいっても、お嬢様を守るのが先決。こうするしかなかったわけで――」

　殊勝に答えるしかない。

「はい」

「何事につけ、気を緩めているとろくなことはございません」

そういうベッキーさんの上着は、白麻ではなく紺だ。制帽も被っていない。これでは、遠目には気づかない。男っぽい姿になるのは、都会の流行だ。《断髪のモダンガールがいる》と思ってしまう。

「どこからつけていたの？」

「三越からです」

「まあ……」

「別宮にも責任がございます。《行け》といわれて、簡単に離れるわけには参りません。車は鶴の丸の前に置き、お嬢様の後を追わせていただきました」

「その上着は？」

「用意のものです」

「――こんなこともあろうかと？」

「はい」

ホルスターを隠さねばならないから、夏でも薄い上着はいる。帽子を取って、色変わりのものを羽織れば、瞬時に変装出来るわけだ。制服の人間になり替わるのは、ある意味《見えない人》になることだ。しかし、逆もまた真なり。《制服でいる》と思い込んでいる人間が、《そうでなくなる》のもまた目眩ましの有効な手段になるわけだ。

まして隠れん坊の相手がわたしのようなぼんやりでは、さして苦労もしなかったろう。

「上野の待ち合わせ場所に、すぐ足を向けられるようなら、そこで姿を現そうと考えました。下げる頭なら、持っております。安い頭です。——お詫びをしてから、円タクを捕まえ、鶴の丸に戻ればいい」

「それはそうね」

わたしは、自分の《探索》について説明した。もっとも、キイちゃんに《ライオン団》のことを聞き、うまうまと罠にはまった——というだけのことだが。

「——ライオン団？」

「ええ」

「先日、別宮にお聞きになったことですね」

「そうよ」

円タクを捕まえようと思っていたベッキーさんだが、何事かを考える顔になった。

「まず、鶴の丸にお寄りになりましたのは、何か、この件とかかわりがあるのでしょうか」

わたしは、巧君のことを話した。

「待ち合わせの場所も、それでお決めになったのですね。車を通りに停めるなら、美術館の近く——と」

「ええ」

巧君の補導されたのが、その辺りだ。ベッキーさんは眼を細くして、

「上野ではライオンといえば——」

わたしは迷わず、

「動物園でしょう？」

「さて……」

ベッキーさんは、通りの先を示し、

「……ご承知の通り、帝室博物館は工事中、入口は美術館よりになっております」

わたしは頷く。いわれるまでもない。本館は大震災で倒壊してしまった。新しい建物は今年の春に上棟式が行われた。外形はほぼ整っているが、完成までは、まだ時間がかかりそうだ。

現在の展示は表慶館で行われている。未曾有の揺れにも破壊されることのなかった建物だ。今、《帝室博物館に行く》といったら、こちらのことになる。

工事中——というわけで、正門は関係車両が出入りする。見学者は、谷中寄りの仮門を使う。

ベッキーさんはいう。

「ちょっと寄っても、よろしいでしょうか」

14

門をくぐり、木立の間を抜け、表慶館の入口に近づいた時、あっと息を呑んだ。

「いかがでしょう」

ベッキーさんが落ち着いた声音で、そういう。わたしは頷き、

「……これがあったわね」

表慶館は明治の末に完成した大建築だ。中央にドームを戴き、威風あたりを払っている。その大玄関へと進む階段の左右に、たてがみも雄々しい二頭の獅子像が、宙を睨んでいた。向かって

右が《阿》と口を開き、左が《吽》と口を閉じている。

わたしもここを通る時には、何度も見たことのある白緑のライオンだ。雛壇のような階段を上り、右の像に近づき、手を伸ばした。人に見せられる姿ではないが、片足を石の段にかけ背伸びをする。青銅の台座に手が届いた。

ベッキーさんは、穏やかに、

「ライオン団が、この世にあるものやらどうやら分かりません。しかし、こちらの獅子なら、確かに、ここにございます」

全くだ。

「なるほど……」

「美術館も周囲は広うございます。巧様が補導されたのが、どこかは分かりません。しかし、ところによっては、《美術館の辺り》が即ち《博物館の辺り》にもなります」

可能性が一つ増えたということか。だが、これが前進なのだろうか。

「仮にね、巧君のメモの《ライオン》が、これだったとしても、やっぱりわけが分からない。……だって、見たいなら昼間来ればいいでしょう」

ベッキーさんは、あっさり、

「さようでございますね」

「それにね、《浅草》と書いて線で消してあったというのよ。その意味は、どうなるの？　ライオン団なら《集合場所が、浅草から上野に変更になった》とか、――生きたライオンなら、《花屋敷のではなく、上野動物園の》とか、あれこれ理屈がつくでしょう？　でも、浅草に――表慶館はないわよ」

「さて……」

と、ベッキーさんは先程と似た、そしてより面白そうな顔をした。

「お嬢様、両大師橋を渡れば、浅草はすぐ近くです。ちょっと足を伸ばしてもよろしいでしょうか」

「勿論……だけど、口惜しいわ」

「何がでしょう？」

「だって、ベッキーさん、何かが分かったんでしょう？」

「しかし、これはお嬢様には、お気付きようのないことです」

「そうなの？」

「ええ。お嬢様は、浅草といえば観音様しかご存じないでしょう？」

「それはそうだけれど……」

我々の学校の教えによれば、浅草とは即ち魔所だ。金龍山浅草寺へのお参り以外は禁じられている。《花屋敷がどういうところか》などという、活字で得た知識はある。しかし、実体験は伴わない。

去年の夏、盛り場をはずれた隅田公園に出掛けたが、それがほとんど唯一の例外である。浅草は距離以上に遠いところだ。

「歩かずともすむことでございます。円タクの窓から、あるものを見ていただきましょう」

ベッキーさんは、そういった。

表の道で車を捕まえ、下谷区から浅草区へ向かう。やがて、円タクは人通りの多い道に入った。

「そこが花屋敷です。もうすぐ入口になります。門の上を、よくご覧下さい」

名高い遊戯場が間近なのだ。だとすれば、往来の数こそ増えたが、思ったほどの混雑ではない。名高い花屋敷の前なら、人で身動きもならぬものかと思っていた。

低い位置にあるものなら、パナマ帽や日本髪が邪魔になって見えにくかったろう。しかし、それは頭上高く、二階の屋根ほどのところにあった。おかげで車の窓から仰いでも、よく分かった。

――浅草のライオン。

「あれね」

「さようでございます」

花屋敷の大きな門は、切符売場のようになっている。通り過ぎただけだから、細かくは分からない。だが、とにかく、ただの門柱ではない。頂きはかなり広そうだ。

左右のそこから、大きな獅子の像が見下ろしていた。

15

円タクは、そこから室町に向かう。わたしは、いった。

「帝室博物館と花屋敷。大東京の案内には必ず載る名所ね。上野のライオンか、浅草のライオンか――と、並んであげられても不思議はない」

「――《花の雲鐘は上野か浅草か》」

「聞いたことがある」

「芭蕉の句でございます」

わたしは、胸のうちで《夏木立(なつこだち)獅子は上野か浅草か》などと言い換えながら、

「すぐ、そう思ったの？」

「はい。お嬢様が地下鉄をお使いになりましたから」

「え？」

「出て来る地名は、上野と浅草だけではございません。巧様は、どちらにお住まいですか」

「……室町」

「地下鉄の駅名でおっしゃれば？」

あっ、と思った。《三越前》《上野》《浅草》と並べて、《ライオン》といえば、ことはたちまち、はっきりと見えてくる。

「三越のライオン！」

これはもう、子供の頃からおなじみのものだ。本店に来ると、わざわざ正面入口まで行って青銅の足を撫でたこともある。

ロンドン、トラファルガー広場のライオン像を模して作ったという。そう聞いた時、《ライオンなのにトラ？》と思ったから、よく覚えている。

「はい。あれが今や、三越百貨店のシンボルといえましょう。あたかも山門の仁王のように鎮座し、日々、来客を迎えています。――三越の歴史は、江戸の昔から数えて、二百五十年以上。それを思うと、まだまだ新参者。しかし、印象は強うございます」

「どうしてまた、百貨店にライオンなのかしら？」

いわく因縁があるのだろうか。

「三越のお偉い方が、大のライオン好きだそうで――」

「あら、それで決まったの？」

案外、簡単なものだ。勿論、百獣の王に対する、様々な思いはこめられているのだろうが。

「はい。ご自分のお子様にも、雷の音と書いて《雷音》と名付けられたそうです。――青銅像は鋳造して増やせます。今は本店を飾るだけですが、そのうち、銀座や大阪を始め、各地の三越の入口を、獅子が守るかも知れません」

そうなれば、ますます《三越即ちライオン》ということになるだろう。

「門口のライオン――というのは、確かに、地下鉄線で綺麗に繋がるわね」

「それはつまり、巧君が行ける範囲にある――ということです」

「浅草が消してあったのは何故かしら？」

「何故でしょう？」

と、ベッキーさんは答えを出さない。見ただけで、すぐ分かることをいってみる。

「花屋敷のライオンには、とても手が届かないわ」

梯子があっても難しい高さだった。

「はい」

「後の二組は、簡単に触れる。帝室博物館の方がちょっと高いけれど、男の子なら簡単によじ登れるでしょう。人さえ……」

いいかけて、ベッキーさんの方を見てしまった。ベッキーさんは、すまして、

「どうなさいました？」

「人さえ見ていなければ……。夜ならば……」

16

直接、鶴の丸には行かず、三越に寄った。ライオンを見るためではない。これはもう、おなじみだ。一応、確認はしたが、二体とも口を開けていた。《阿》の像だ。元のトラファルガー広場のライオンが、《ＡＨ！》といっているのだろう。

では何のために寄ったかといえば、挨拶の品を買おうと思ったのである。鶴の丸の前は、通りの幅もある。車の往来しきりというわけでもない。フォードが置いてあってもさして迷惑にならなかったろう。しかし、御礼はしておこうと考えた。

外国製の知恵の輪があった。一円五十銭だった。謎を抱えている今にはぴったりだし、男の子なら喜びそうだと思って、これにした。

鶴の丸では、お店に入り、《弓原子爵の姪である》と明かし、頭を下げた。

「弓原の叔母から、色々とうかがっております。ほんの御礼までに、これを巧君に」

若奥様が出ていらして、恐縮の至りという様子で手を突かれた。あげくに、かえってお菓子を頂いて帰ることになってしまった。

家に着き、一人になると、やはり今日のことは心に重い。よほど、ベッキーさんに来てもらい、

一緒にいてもらおうかと思った。

気晴らしのつもりでサロンに行き、クライスラーのヴァイオリンをかけた。長椅子の背にもたれて聴いていたら、いつの間にか、雅吉兄さんが後ろから忍び寄っていた。

「わっ」

子供っぽい学士様にいきなり肩を突かれ、死ぬほどびっくりした。

「やめてよっ！」

自分でも思いがけない声を出し、その声につられるように泣き出してしまった。

「お……おい」

涙の向こうに、兄さんが見える。おろおろしている。

——心配してくれているんだ。わたしのことを。

そう思うと、つらいものが幾分か流されて行くようだった。ぐすんと鼻をこすりながら、

「……兄さん」

「え？」

「……好きよっ」

そういって抱きついてやった。窮鳥となってふところに入ってしまったから、兄の顔は見えない。きっと、眼を白黒させていることだろう。乙女心は計り知れない。

——恋をしていると思われたかも……。

そう考えると、今度はおかしくなって、兄の胸の中で、長いこと笑い続けた。

17

松子叔母から電話があった。

鶴の丸の若奥様が《申し訳ない》といっているそうだ。

「でしたら、そのお礼代り――というわけでもないのですけれど――」

「なあに？」

「巧君と会わせていただくのは、無理でしょうか」

さすがに、ぴんと来たようで、

「この間のこと、分かったの？」

「――ぼんやりとなら」

「後は、当人に問いただすだけなのね」

「尋問じゃありません。ただ、親には聞かれたくないのかも。ですから叔母様とわたしと、三人で会えないかと――」

「そう。で、あの……困るような話ではないの？」

不良団体のことが引っ掛かっているのだろう。わたしは、送話口の前で首を振った。

「全く違うと思います」

「だったら何よりよ。何とでも算段するわ」

結局、松子叔母が言葉巧みに巧君を――こう繋げると冗談のようだ――借り出すことに成功した。

先月までは菊五郎、幸四郎の出ていた歌舞伎座が、この三日から、新派に舞台を譲っている。うまいことに、ちょうど夏目漱石原作、川口松太郎脚色の『坊っちゃん』をやっている。それを利用して、《券が、一枚余っている。ぜひ巧君に来てもらいたい》と持ちかけたのだ。叔父様に急な出張が入ったことにしたのだ。

いうまでもないが、このためにわざわざ買った券だ。《歌舞伎座の、それもいい席の券を無駄にしたら勿体ない》というのは、東京人にとって、実に説得力のある誘いである。

巧君は楽しんでくれたし、わたしも面白かった。しかし、こちらの狙いは幕間（まくあい）にある。廊下の長椅子に並んで腰掛けると、松子叔母が気をきかせて、すっと離れた。

時間に余裕はない。単刀直入にいった。

「最初に、《ごめんなさい》と謝っておくわ。あれこれ、詮索されるのは嫌でしょう。でも、ちょっとだけ、おうかがいしたいことがあるの」

巧君はびっくりした。当然だろう。弓原のおばさんの親戚、この間、知恵の輪をくれた人――とだけ聞かされている娘が急に、こんなことをいい出したのだ。おかしな女だ――と思ったに違いない。

「――お母様がライオンのことを心配していると、小耳にはさんだの。《上野でライオン》と、聞いてぱっと閃いたのよ」

この辺りは、いささかの脚色である。川口松太郎が『坊っちゃん』を仕立て直したように、うまくいったかどうか。わたしは、そのまま続ける。

「――お宅の近くが三越でしょう？　三越といえばライオン。似たような《入口のライオン》が、博物館にもあるでしょう。そこに行って、ライオンに、何かしようとしたんじゃない？――《受験勉強で忙しい子が、わざわざ、そんなことで出掛けるか》といわれそう。でも、《受験を控えているからこそ、行った》と考えれば、分かる気がするの」

巧君は、《試験地獄のせい》と口走ったそうだ。偽名を使う時、気が動転していると自分の名前の一部が入ってしまうらしい。本音というのは、どこかに出てしまうものだ。

「――ただの悪戯じゃない。合格のおまじないに、人のうちの表札を盗むとかいうでしょう。あんなことだったんじゃないかしら。――三越でやって、今度は駄目押しに博物館まで行った」

巧君は、くりくりした眼をしばたたきながら、観念したようにいった。

「三越で失敗したんです。だから……」

やっぱり！　と、胸の中で手を打った。

「そうなんだ。――で、一体、何をしようとしたの？」

「またがるんです」

「――は？」

聞き返された巧君は、照れ臭そうに、

「ライオンにまたがるんです、こっそり」

「まあ……」

「あきれましたか？」

「違うの、ほっとしたの」

巧君は、けげんそうに首をかしげた。わたしはいう。

「何かを書きつけるとか、傷つけるとか、そういうことなら穏やかじゃないと思ったの。だとしたら、かなりお灸を据えないといけないでしょう？」

「そんなひどいこと、やれといわれたって出来ませんよ」

と、巧君は心外そうだ。

「ライオンに乗ると試験に受かるっていう、言い伝えがあるの？」

「よく知りません。でも父が、どこかから聞いて来たんです」

「お父さんが？」

「ええ。この間、夜中に起こされたんです。どうしたのかと思ったら、二人でこっそり三越まで行こうというんです。足音の響く、暗い道を歩きながら、父がぽつりといいました。《三越のライオンにな、誰も見ていない時にまたがると、入学試験に合格するそうだ》って」

「まあ」

「僕は、ご利益がどうこうより、父がそれだけ気にかけてくれたことが嬉しかったんです。――いつもは、口をへの字にして黙っています。仕事以外には全く不器用なんです。そういう父が、一所懸命になってくれたんです。――父は、三越の前まで来ると、自分もこっちを見ないように、背を向けて腕を組みました。僕は急いでライオンにまたがりました。ところが、向かいの通りを見たら、――遠くにいるルンペンさんと眼が合ったんです」

間が悪かったのだ。せっかく深夜に出掛けたというのに。

「……お父さんは、気づかなかったの？」

「ええ。近視ですし、違う方を向いていましたから」

「それで――帰って来たわけ？」

「はい。せかされて帰りました。《誰にも見られずにまたがる》というのが条件なら、大失敗です。でも父は、僕のことを考えて、わざわざ出掛けてくれたんです。それを思うと《実は、駄目だったんだよ》なんて、とてもいえやしません」

わたしは、大きく頷いた。

「――その時は、ただ《黙っていればいいや》と思って寝てしまいました。でも、次の日から気になりだしたんです。迷信だとは思います。そんなことは分かっています。だけど、万一、受験に失敗したら、あの夜の思い出が《もしかしたら、あのせい》という、嫌なものになってしまう。せっかくの父の気持ちを、そんな風に汚したくない。――勿論、僕が頑張って勉強して、見事に合格すればいい。それだけの話です。分かってます。――でもどういうわけか、参考書を見てもノートを開いても――あの夜の失敗を、ちらりちらりと思い出してしまう」

これは可哀想だ。

「分かるわ、その気持ち。――でも、だったらもう一回、三越に行けばいいんじゃない？」

一番お手軽なのが、それだろう。

「そうは思えなかったんです。だってライオンに乗るのも、お祈りみたいなものでしょう。ケチがついたからといって、何度でもやり直しがきいたらおかしいです。それじゃあ権威がないというか、ありがたくないというか――」

巧君は、真面目な子らしい。

「……そうだわね」

「だから、別のライオンに乗って来ればいいんだと思いました。そうすれば、三越のことも消しゴムをかけたみたいに消せる。すぐ思いついたのが、花屋敷と博物館のライオンです。でも、浅草のは門の上で、見上げるほど高い。とても上れそうにないんです——だけど博物館の方は、中に入れさえすれば後は簡単でしょう？」

「ぱっと行って、ぱっと乗って、帰って来るつもりだったのね」

「はい。門の横にちょっと竹垣みたいなところもあったし、後は石を積んだ上に生け垣が続いてました。どこか、くぐれるようなところはないかと思って、通りの向こうから見渡していたら——」

見えるようだ。わたしは、わざといかめしい声になって、

「《おいこらっ！》って、いわれたわけね」

巧君は、無念そうに答えた。

「はい……」

18

ベッキーさんに事情を話した。

「松子叔母にいったら、《可愛い話ね》と笑っていたわ」

通学の途中である。ベッキーさんは、いつものようにハンドルを握りながら、

「さようでございますね。巧様のなさったことも、ご自分のためというより、むしろ、お父様のお心を無にしないためでしょう」

その点は同感だ。

「でもねえ、これだと、後をどうするかが、思ったより難しいのよ。真相は別に《困ったこと》でも何でもないわ。でも、巧君のお父さんの立場が微妙でしょう。よかれと思ってやった《ライオンの儀式》が失敗だったのよ。つまりは不合格に繋がってしまうわけでしょう。――なかなか、説明しにくいのよ」

「結局、どうなさったのですか」

「うやむや……よ。そのまま黙っていることにしたわ。――巧君は、ただ『坊っちゃん』を観に来ただけだもの。別に、あの件で呼び出したわけじゃない」

ベッキーさんは、ちょっと考えてから、

「それで、よろしいのではございませんか。お母様のご心配も、巧様が普通の暮らしを続けていれば、次第に薄れ、消えることでございましょう。ただ……」

「ただ?」

「三越での失敗は、消しゴムで消せなかったことになります」

確かにそれは、窓硝子の、拭き残した汚れのように残る。

「そうよねえ」

「それでは別宮が……」

「え?」

「消しゴムを探して参りましょう」

「はあ？」

頓狂な声を出してしまった。どういうことか聞こうとした時、フォードが学校に着いた。

夏季休業直前で、授業も落ち着かない。そのせいもあって、ずっと、ベッキーさんの言葉を考えてしまった。ベッキーさんが、制服の背に大きな《消しゴム》をかついで現れるところが眼に浮かんだ。

帰りの車に乗り込むと、早速、聞いた。

「手に入ったの、消しゴムは？」

「はい。いいのが買えました」

そんな、魔法の消しゴムを売っているところがあるのだろうか。

「一体全体、何のことなの？」

ベッキーさんは、すぐには車を出さず、

「さて、その前に、こちらからお聞きいたしましょう」

「いいわよ」

「なぜ、三越のライオンに乗ると、試験に合格するのでしょう？」

おお、意外であり、しかし根本的なところを攻めて来る。人の見ていない時に——というのは、ただ神秘性を増すためだろう。となれば……。

「……百獣の王を従えるから？　最高の力を手に入れるというわけ？」

ベッキーさんは、わたしの意見については論評せず、

「誰がいい出したのかも知れないことなら、無論、《正解》など分かりません。ただ、別宮が考えたことならございます。《獅子に乗る》といえば、すぐ思い浮かぶのは何でございましょう？」

「………？」

童話か何かに、そういうのがあったろうか。

「普賢菩薩（ふげんぼさつ）は白象に乗っています」

「あ……」

お釈迦様の脇にいるのは、普賢菩薩と――。

「お分かりになりましたか？」

「三人寄れば文殊の知恵……かしら？」

「はい。知恵を司る菩薩様。受験する方がよくお参りになる文殊菩薩は、獅子に乗っていらっしゃいます」

そうかっ――と、たちまち、腑に落ちてしまった。

「誰かが考えるなら、他の誰かも考えます。《三越のライオンに乗れば……》などという話は聞いたこともありません。しかしこれが、いずれは人から人へと広まるのかも知れません」

ベッキーさんが、そこで取り出した《消しゴム》とは、絵馬とお札だった。

どちらにも、宝剣を持ち、獅子に乗った菩薩様の姿があった。

「埼玉に、文殊様で広く知られたお寺がございました。早速行って、いただいて参りました。試験に取り組もうとするのに気掛かりなことがあっては、よろしくないでしょう。――幸い、叔母様も今度の件はご存じとのこと。叔母様を通して、これを巧様にさしあげていただけないでしょうか」

「そうね、そうね！」

世にいう、二つ返事というやつだ。

「三越のライオンに乗る。――それが、文殊菩薩様の姿になぞらえ、お力をいただくことなら、これでよろしゅうございましょう。菩薩様は、きっと巧様に微笑まれる筈でございます」

「わたしには……」

「は？」

「ベッキーさんが、文殊様に見えるわ」

《畏れ多い》といって、ベッキーさんは笑った。

19

昭和十年夏季休業の前の授業は、七月十九日の金曜日で終わった。翌二十日、両国の川開きの日から、夏の休みに入った。

獅子と地下鉄線にからんだ奇妙な話は、親から子へ、そしてまた子から親へと行き交う思いやりを、わたしに感じさせた。わたしもまた家族という船に乗っている。その船はまた、大きな時の流れに乗っている。

夏休みに入って、一週間ほど経った頃、夜の大東京では、前代未聞のことがあった。

漆黒の闇を裂く不安な響きといえば、まずは灯火管制の演習で鳴るサイレンだろう。

あれなど幼い頃耳にしたら、どれほど恐ろしいことだろう。よくしたもので、小さい子は眠りが深い。眠りの門はとろけるように閉まり、子供は内にかくまわれる。

だが、わたしはもう子供ではない。その夜、サイレンとは全く違う、ひそかな、思いがけない声で眼を覚ました。

——ブッポー。

確かに、そう聞こえた。

夜は限りなく暗い。おそらくは、二時前後ではないか。

わたしはベッドから降り、あわてて窓を開いた。暗夜の一点の光のように、底知れない静寂の中から、一つの声が届いて来た。

——ブッポー。

幻聴ではない。だが、起きつつ夢を見ているようだった。

深山幽谷でなければ鳴かず、里に降りることさえ稀という、あの鳥が今、昭和十年夏の夜の大東京を渡っていた。

鷺と雪

1

夏のお休みも十日まで。放蕩者（ほうとうもの）がお金を使い尽くすように、たちまち過ぎてしまった。休暇の終わりに後何日と指を折るのは、お財布に残った紙幣の数を、《もう二枚、ああ最後の一枚》と勘定するようなものかも知れない。

九月の声を聞いても、暑い日はまだまだ暑い。今日などは朝から曇っていたが、それだけにからりとせず、じめじめとした熱気が肌に張り付いて来た。

日が落ちてから、夜風に吹かれてみようかと庭に出てみた。どこからどうやって来るのか、あちらからもこちらからも、虫の声が騒がしいほどだ。それでいて時に、どう勘違いしたものか、梢からジジジと場違いな蟬の声が響いたりする。

空は、灰色の綿を広げたような雲に覆われている。随所に濃淡があって、それがゆっくりと流れている。雲の切れ目からは青黒い夜が覗いていた。

さて、夏の休みをいかに有効に過ごしたかというと、これといって特筆すべきこともない。ただ、本なら何冊か読んだ。

休みの前に、三越本店入口のライオン像にかかわる、ある出来事があり、夕食の時などその話題が出た。

「あれの本家はイギリスなんですって？」

と、父に聞く。

小さい頃、父に連れられ日本橋の三越に行った時、そう聞いた記憶がある。確か、英京ロンドンはトラファルガー広場にあるライオン像が、元になっているらしい。

父は英国びいきだし、ロンドンに長くいたこともある。

「興味があるなら、これを読んでご覧」

といって、長谷川如是閑（はせがわにょぜかん）の書いた『倫敦（ロンドン）』という、分厚い本を貸してくれた。題名通りのロンドン案内になっているから、父にとっては読み物でもあり、実用書でもあったのだろう。

図版が多いので眼にも楽しい。最初に折り込みで《三百年前の倫敦地圖》というのが入っている。色刷りである。家々の紅色の屋根や霞む空、地のほのかな緑、大小幾艘もの舟を浮かべたテームズの流れの素朴な色もゆかしい。遠くにある懐かしき古里という感じである。

著者の如是閑さんは、新聞界で長く活躍したが、軍部に睨まれ身を引かざるを得なくなった人らしい。『倫敦』の中にも、《コンスチチユーシヨン・ヒル卽ち『憲法が丘』》という地名があり、その由来があちらの人に聞いても分からない――という一節がある。だが僕には分かると、如是閑さんはいう。そのすぐ下がバッキンガム宮殿だからだ――と。

《卽ち英國の人民は憲法が丘から》宮殿を監視しているのだ――と続くのだから、ちょっと怖くなってしまう。これが、明治の御代に出た本なのだ。

ところが、そんな如是閑さんが全てにおいて進歩的かというとそうでもない。

この本のおかげで、トラファルガー広場のライオンは、ランドシアーという人の作であり、英国動物彫刻中の雄であると分かったが、続けてこんなことも書いてあった。

この広場では、《時々女選擧權者の示威運動がある》。広場の中心はネルソン提督記念塔で、そこにトラファルガー海戦における、名将の名文句《英國は各人に其(その)任務を爲さん事を望む》が彫られている。こともあろうにその前で、《任務を捨てゝ碌でもない政治運動に狂奔する女共が、無數に集つて、塔の下でワイ〳〵ガヤ〳〵揉み合つて》いる。——と、まことに冷ややかに書かれている。

確かに世の常識によれば、女の務めとは、《男に仕え、良妻賢母となること》だろう。我々が教えられる生き方も、無論そうだ。わたしなどは根が素直だし、強くもない。常識に異をとなえるよりは、多数と同じ道を行く方に居心地の良さを感じる。

そして、男の如是閑さんは、その道をはずれた行動を——人として醜いと思っている。

しかし、女も考える頭は持っている。となれば女の数だけ考えもあり、行動もあるだろう。わたし自身は——といえば、《良妻賢母》に抵抗はない。ただし、良き夫、優れた父となる人に巡り会えたらの話だけれど。

しかし、全ての女の眼が、家の中にだけ向かうべきもの——と考えて、はたしてよいのだろうか。要するに、人間というものを《女》とか《身分》とか、その他もろもろに分類し、それぞれひとまとめにして断じるのは、自然に反することだろう。

また、《女にも選挙権を》——というのも、おそらくは、ただその権利が欲しいというより、それを与えない《考え方》への抗議に思える。極論するなら、《女》という言葉さえ、ただの性別というより、《力なきもの、弱きもの》に置き換えられそうだ。

人の世の進歩とは、権利や自由が、微かな日に大きな氷が解けるように、ゆっくりと、より多くの手に渡って行くことではないのか。

わたしには、どうもそう思えてならない。

この一節が強く印象に残ったのは、書いたのが、時代を越えて物を見ているような如是閑さんだからだ。著者が他の人なら、世間普通の見方と思って心にとめなかったろう。だが、相手が如是閑さんとなると、《この人でもそうか》と思ってしまう。日本の男が考える限り、水が上から下に流れるように自然に、そうなるのだろう。

いや、その書き振りから見て、英国でも《女選挙権者》は、一段高い所から、からかいの眼で見られているらしい。しかし、我らが日本におけるその実現が仮に千年先のこととしたら、あちらは九百年早いような気がする。

何しろ、エリザベス女王がいてヴィクトリア女王のいた国だ。この二人など、北条政子どころではなく、徳川家光や吉宗以上の大きさを持って君臨したわけだ。

そのヴィクトリア女王が、前王崩御を受けて大英帝国の帝位に就かれたのは十八歳の時だったという。如是閑さんによれば、朝の五時に、突然起こされ、重き責務の双肩にかかったのを知らされた時、わたしと変わらぬ年頃の新帝は、こういったそうだ。

——I will be good.

《少女の口から自然に洩れた言葉ながら、一言以て王者の要訣を盡くしてゐる》というが、まさにそうだ。《うまくやるわ》とも《まかしとき》ともいい換えられず、これはやはり《アイ・ウィル・ビイ・グッド》というしかないのだろう。

2

——何か、いい本はないかしら。

と、雅吉兄さんの書棚も見せてもらった。くすんだ芥子色っぽい背表紙に、無造作に書かれた『文芸的な、余りに文芸的な』という印象的な題が眼についた。芥川龍之介の本だ。

それを借りて読んでいたら、《古來の女子參政權論者はいづれも良妻を伴つてゐた》というくだりで唸ってしまった。

人は時代や環境を越えられない——というところで出て来る言葉だが、ここだけ取り出しても、《なるほどなあ》とは思ってしまう。いうまでもなく、女房がどうであろうと一般論とは別だ。その筈だ。しかし、どうしようもない悪妻が間近にいたら、《うーむ、こいつに選挙権をやってもよいものか》と考えてしまうのが、まあ人情かも知れない。

芥川は、面白いことをいう。

こんな風に、読んだ本と本とが繫がったりするのが、書物を開く楽しみだ。

例えば芥川は、《「話」らしい話のない小説》は最も詩に近く純粋だとして、ルナールのある短編を例にあげる。

となれば、途中でページをめくる手を止め、兄のところに戻り、

「これ、ないの？」

と聞き、途中下車をして支線に乗り換えるように、そちらを開いたりする。フランスの農夫の暮らしが淡々と、しかし活写されているのを読んで、頷くわけだ。

そうそう、小説だけではなかった。芥川は、多くの海外の芸術家達の中で《今になつて考へて見ると、最も内心に愛してゐたのは》といって、一人の名をあげる。——ハインリッヒ・ハイネだ。

そこでまた、うちの文学士様のところに行き、

「ハイネの詩なんか、読んでる？」

と聞くと、

「おいおい、ここんとこ、毎日、聞いてるのは何だと思う。あれがハイネだぜ」

という意外な返事。そういえば、兄がよくかけているレコードがあった。

「あれ？——何だか不気味な歌だと思ってた」

雅吉兄さんは、内面がよく表に出る。気落ちした時は、肩までがっくりと落ちる。同じ理屈で、かけているレコードからも心の内が読み取れる。夏が来た頃には、糖蜜のように甘い恋の流行り歌を鳴らしていた。ところが、やがてそれが陰々滅々たる、どこか恨みがましい歌に代わってしまった。

「芸術の分からん奴は仕方がないな。ハイネの詩に、シューベルトが曲をつけたんだ」

と、兄は胸を張っている。まるで自分が作ったような勢いだ。

「シューベルトって——あれだわね。『未完成交響楽』」

今年の話題の映画のひとつだ。フランツ・シューベルトが悲恋の主人公として登場し、観客の涙を誘った。

「……う、うん」

「《我が恋の終わらざるごとく、この曲もまた終わらじ》——だったっけ？」

——というわけで、あの交響曲は未完成なのでした——という結びだった。

本当かどうかは、わたしには分からない。おかげで、レコードも売れたに違いない。芸術家だから多分、貧しかったのだろう。生前のシューベルトさんに、いくらかでもあげられたら、よかったのに。

「……まあ、そんなところだ」

「で、シューベルトの、何て曲？」

「『影法師（かげぼうし）』さ」

いかにも暗そうな題だ。

「ええと、——ハイネといえば、ドイツ語ね」

わたしは英語とフランス語しかやっていない。

「当たり前だな」

「どんな歌詞なの？」

「ちょっと待て、森鷗外の訳があるんだ」

これは調べてあったらしく、すぐに出て来る。鷗外先生の訳題は、レコードと違っている。

「……『分身』？」

「ああ」

こう始まっていた。

しづけきよはのちまたには
ゆくひともなしこのいへぞ
わがこひゞとのすみかなる

なるほど明るい調べにならないわけだ。振られた恋人の家を眺めているらしい。そうするともう一人、同じ家を見ている者がいる。誰かと思ったら、

むかしのわれのおもわなり

「あ、そうなんだ。だから『影法師』だし『分身』なんだ。つまり、あの、ドッペ……」

「ドッペルゲンガーだな」

と、兄は偉そうにいう。ドイツ語にすると何でも重々しくなる。

「もう一人の自分、ね？」

これは、かなりぞっとする情景だ。

「そうだ。ドッペルは、英語でいやぁダブルだな」

「ゲンガーは？」

兄は聞こえないのか、聞こえないふりをしているのか、そのまま続ける。

「古来、ドッペルゲンガーを見るというのは、縁起の悪いこととされている」

「へええ」

「最悪の言い伝えだと、死の前兆ということになる」

「うわあ」

「現代の頭で考えても、不可思議な幻影を見るようなら神経が疲れているわけだ。いいことじゃないだろう」

なるほど。それにしてもドラマチックだ。

「小説とか昔話にも、結構、出て来そうね」

「そりゃあ、幾つもある。早い話が、芥川だって書いている」

「ふうん」

と受けたが、そこで気になった。

「――ねえ、ドッペルゲンガーって、自分にしか見えないの？」

「ん？」

「つまりね、ドッペルゲンガーを、他の誰かが見るってこと。――《あなた、昨日、銀座を歩いてたわよね》とか、いわれちゃう」

「ああ、そういう場合もあるな。――そんな時、もう一人の自分が、悪いことをしていると困る」

「それはそうね」

姿形（すがたかたち）の同じもう一人の自分が、やたらにお金を借りたり、悪戯（いたずら）をしたり、極論すれば凶悪犯罪を繰り返すようだったら、たまったものではない。

「――だったらね」

と、兄に顔を寄せる。

「何だ」

「そんな縁起の悪いものの出て来る歌を、毎日、聞くことはないんじゃない？」

うう……、と、ちょっと詰まってから兄は、

「まあ、シューベルトだし、ハイネだからな」

と、大芸術家の権威の下に隠れようとする。

兄がいつだったか聞いていたピアノ曲に『恋は魔術師』というのがある。あれをかけながら自殺した、いいところの奥さんがいるという。山中湖畔で、シューマンの『トロイメライ』をかけながら命を絶った一高生もいるらしい。

人が、生の側から違う方に足を踏み出すのは大変なことだろう。レコードの調べという演出が、自分を常ならぬ自分にし、背中を押してくれるわけだ。

となれば逆に、明るい曲をかければ、心も明るくなるような気がする。――と、人にいうのは簡単だが、落ち込んでいる時は、わたしだって哀しい音楽に心を撫でられていたくなる。

しかし、兄さんには、何があったにしろ――まあ、恋に破れたな、というのは、誰が見ても分かるけれど――いつまでも影の中にいてほしくないと思う。

わがままなものだ。

3

——といった兄とのやり取りもあった。

見上げる雲のスクリーンが動いて行く。そうすると、灰色の重なりの一点が光を増す。

……ああ、あの辺りに月があるんだ。

と、分かる。

考えれば闇夜でなく、雲の模様が見えるのも、月があって上から照らしているからなのだ。

ゆったりした灰色の流れの切れ目が、その明るい辺りにかかると、劇的といっていい感じで月の端が顔を出した。

徐々に現れて来る様子は、まるで袋から輝く宝珠(ほうじゅ)を絞り出すようだ。暗い夜空の、その辺りだけが、ふわっと明るさを増す。

見とれていたが、しばらく経っても、月は半身を見せたままでいる。

……ああ、そうか。

半月だからだ。雲は流れているのに、月はそれ以上の姿を見せない。ちょうど、出かけた袋の口で、宝珠がひっかかったように見えた。

自然も、時にこんな思いがけない演技を見せてくれる。春には桜、秋の月、そして次に巡り来る冬には、雪が白く舞い、季節の踊りを見せてくれるのだろう。

そう、それより前、わたし達には、卒業を控えての大きな行事がある。十一月末から、一週間かけての関西修学旅行だ。

「……あ」

と、小さくつぶやいたのは、写真機のことが頭に浮かんだからだ。修学旅行には、誰もが持って行く。一生に一度の記念すべき時を、フィルムにおさめようというわけだ。

これを機会に、自分専用の一台を買う方も多い。花嫁道具のひとつになるわけだ。

わたしはといえば、雅吉兄さん愛用のパーレットを借りることにしていた。今、手ほどきを受けているところだ。

……あの面白いお月様は撮れないかしら。

雪月花は、日本の代表的風物だから、わたしが思うのに無理はなかろう。だが、すぐにそれは《野望》の類いだと考え直す。

見たように撮れるところまで行っていない。人間の眼はたいしたもので、明るいところ暗いところで、絞りを自動的に調節出来る。写真機はそうはいかない。あれやこれやと面倒だ。それこそ、体の一部のようになるまでには、かなりの時間がかかることだろう。

わたしは今まで昼間の、それも、お天気のいいところでしか撮影していない。こんな夜では、うまく写せないに決まっている。ましてや相手はお月様。天空の一点だ。印画紙の上では、何が何やら分からなくなってしまうだろう。

パーレットは国産だが、大正の頃から何回も改良機種が発売されている。値段も考えに入れると、かなり優れた製品らしい。《駄目なものなら、一代限りでおしまいになる》というのは兄の言葉だが、なるほどそうだろう。しかしながら、写真機がまともでも、撮る人間がわたしだから、その機能を十全には生かせないだろう。

……おやおや。

そう考えているうちに、月は雲の波間に隠れてしまった。仮に腕がよくても、これでは間に合わなかった。

《真を写そう》にも、《機》がなければ仕方がない。家に入ることにした。

4

「今度、兄にね――」

と、ベッキーさんの背中にいった。始業式の日である。

「はい」

ベッキーさんは、フォードのハンドルを握りながら答える。

「映画に連れて行ってもらうの」

「それはよろしゅうございますね」

「今日、封切りの日比谷映画」

いつも行く帝劇などとは違う。しかし、観たい新作がかかるのだ。

「はあ」

わたしは、わざと身を乗り出し、声をひそめて、

「それがね、ヒロインは《多情、奔放の淫婦(いんぷ)》なのよ」

ただでさえ一人でなど行けないのに、これだから、余計、兄に連れて行ってもらう必要がある。

驚くかと思ったベッキーさんは、しかし、あっさり答える。

「『虚栄の市』でございましょう？」

「何だ、知ってるの」

つまらなそうにいうと、ベッキーさんは笑い、

「新聞を読んでいるのは、お嬢様だけではございません」

映画評や広告も華やかだから、眼にはつくだろう。何しろ、《初めから終わりまで総天然色》《映画史上に革命を巻き起こした》というのが謳い文句だ。部分的に色が着くものは今までにもあったが、今度の作品の完成は、まさにひとつの事件だろう。

物見高い——といわれてしまえばそれまでだが、果たしてどんな具合になっているのか観てみたかった。

ベッキーさんは、くすぐったそうな声で続けた。

「お嬢様が、おっしゃると思いました。別宮は新聞を見て、いささか羞ずかしい思いをいたしております」

今度は、わたしが笑った。《多情、奔放の淫婦》とは、ミリアム・ホプキンス演じる物語の女主人公、ベッキー・シャープ。

過ぎてみればあっという間だが、この別宮みつ子さんが我が家に来たのは、もう三年前のことになる。その時、わたしはちょうど、イギリスの文豪サッカレーの手になる『虚栄の市』を読んでいた。

世間的に見れば《悪女》ということになるであろうベッキーの、踏まれても踏まれても、たくましく立ち上がる生き方は、妙に魅力的だった。映画では、どうなっているのか分からない。しかし、少なくとも原作を読んだ限りでは《淫婦》などという簡単な箱に入れられて収まるような人ではない。

——この人が男であったら、どんな人生を送ったのだろう。

と思った。

それまでに読んだ物語では、出会ったことのない女性だった。

ちょうどその頃、この別宮さんが、わたしの送迎にあたる新しい運転手として現れたのだ。珍しい名字を聞き——そして凜々しい面立ちもさることながら、内にある心の強さを見た時、わたしは聞いていた。

——ベッキーさんといっていいかしら？

と。

まさか、サッカレーのことなどご存じあるまいと思ってのことだ。しかし、今となっては恥じ入るしかない。ベッキーさんは、英語ひとつ取っても、わたしなどよりはるかに堪能な人だった。

新聞によれば、『虚栄の市』は戯曲化されている。今回の映画はそちらをもとにしているらしい。いずれにしても、世に物語は九十九里浜の砂粒ほどもある。ところが、わたしとベッキーさんとの、いわば出会いを飾った『虚栄の市』が、この秋、史上初の長編総天然色映画となって、帝都で賑々(にぎにぎ)しく封切られるのだ。

わたしは何となく、そこにひとつの《祝福》を感じたし、照れたりするのとは無縁なようなこの人が、それに似た色を見せたのが楽しくもあった。

「最初は物珍しかったトーキーも、いつの間にか普通になってしまったわね」

「はい」

「そうなると映画も、いずれは総天然色が当たり前になるのかしら？」

「どうでございましょう。別宮は、白黒の画面の深みが好きでございます」

「なるほど」

確かに、《色》という説明が少ない分、そうなるだろう。ことは語り過ぎれば浅くなるものだ。

「しかし、それも時と共に変わるかも知れません。今は《総天然色》というと、映画であるより先に、まず見世物でしょう」

「ああ……」

確かに、そういう面はある。

「白黒の映画も、最初は蒸気機関車や滝を見せていたそうです。物珍しさに集まった観客は、機関車に轢かれるか滝のしぶきがかかるか——と恐れて身を引いたそうです」

「おかしいわね」

「今となっては——で、ございます。それだけ、映画が成長したわけでしょう。トーキーにしても、最初は音の出るところを見世物にしていました」

無理やり歌を入れたりしたから、観ていておかしかった。しかし、それも最近では、新しい着物がやがて肌になじむように、自然なものになって来た。

「あ、——そういえばね。今度、お能をトーキーで撮るんですって」

弓原の叔父が、能楽と講演の会に行き、その道の権威のお話を聞いて来た。野上さんとかいった。以前、法政大学の先生をなさっていた方だ。

そうしたら、縁というのは面白い、ある会合でその方と顔をあわせることになった。当然、お能の話になる。そこでトーキー撮影の計画を教えてもらったそうだ。

「さようでございますか。——名人の舞台を後世に残そうというわけで？」

「いえ、何でもね、観光局とかの肝入りで、お能を海外に紹介しようというの。トーキーに撮って、外国に送るんですって。——歌舞伎の方でも、この間、菊五郎の『鏡獅子』を撮ったとかいう話よ」

「ははあ」

「でもねえ、お能だと、日本人でも時々、眠くなるわ。あちらの人が観て大丈夫かしら？」

「いえ。オペラでも、時々はうとうとするものでございます。——能楽とはよい眼の付け所かも知れません。抽象性が高い分、普遍性も高いでしょう」

総天然色ではなく、白黒の芸ということだろうか。

5

その『虚栄の市』は、色こそ華やかでも映画としては今ひとつだった。二兎を追うのは難しい。

——やがて、十月。

風もすっかり秋のものに変わった。明け方、新鮮な空気を入れようと窓を開くと、思いがけないほどひんやりとした、見えない手に頬を撫でられ、びっくりする。

そうなった頃、弓原の叔父がやって来た。わたしを、あることに誘いに来て下さったのだ。

まず話題は、例のお能の映画だった。

「呉服橋の観光局で、内輪の試写会がありましてね」

「ほう、もうそんなところまで進んだのですか」

と、父が聞く。

「ええ。――とはいっても取り敢えずのもので、まだ試写の試写という感じでした。きちんと繋いでいないし、音の調節もすんでいない。それでも思ったよりいい出来でした」

「ものは何でしたかな」

「『葵上』です」

お能の中でも、上演されることの多い人気の演目だ。能楽堂には、《まあ、観ておきなさい》といわれて、ほんの数回しか行っていないわたしだが、これとは出会っている。

題材に取られているのは、無論、『源氏物語』。題名の『葵上』は光源氏の正妻。しかし、描かれるのは彼女に嫉妬する六条御息所の方だ。

一方、病床の葵上を演じるのは、生身の人間ではない。舞台の前面に寝かされた衣装が、病める貴婦人を表現している。西洋の観客が見ても、この斬新かつ大胆な演出に驚きそうだ。

「シテが桜間金太郎に、ワキが宝生新ですからな。結構な出来でした。――どうなるものかと心配しましたが、あれなら海外に出しても恥ずかしくない」

桜間金太郎というのも、能の世界では有名な人だ。関係ないが、確か銀座の服部時計店のご主人も服部金太郎といった。愛嬌のある名前だ。つい、腹掛けをして熊にまたがった男の子を思い浮かべてしまう。

さて、いかにも熱心な叔父の様子を受けて、父がいう。

「いやあ、このところ、すっかり能楽びいきのようですな。――何ですか、ご夫婦揃って謡の稽古を始められたとか？」

叔父様は、頭を撫でながら、

「いや、下手の横好きです。二人で、大胆な声を出していますよ。――しかし、無理に人に聞かせようとしなければ罪にはならない。あれも、なかなかよいものですよ。その世界に没入して無念無想になる。声を腹から出すから、体にもいい。――料理人の腕が上がったのでわけを聞いたら、《謡を始めた》という……まあ、こんな話もあるそうです。芯がしっかりするから、そうなってくるのでしょう」

「それでは、弓原さんの人物も、これでまた一回り大きくなりますな」

「いやいや、わたしなどは――」

と、叔父様は頭を掻き、愛用のエアーシップを取り出し火を点ける。そして、紫煙をくゆらせつつ、

「実はその撮影をね、先月、砧まで行って見て来たのですよ。――関係者から、ちょっと声をかけてもらいましてね」

これは、親しくなった野上さんのことだろう。

「砧の撮影所ですか。能楽堂ではなくて？」

「はい、中にきちんと舞台が出来ていました。セットというやつですかね。見たところ、全く本物の能舞台ですよ。専門家は何でも見事に作るものだと、感心しました。――カメラが三台も用意してありまして、それを動かしては撮っていました。――わたしが行ったのは午後からですが、金太郎達は、朝早くから夜の十二時過ぎまで、何度も何度も繰り返したそうです。さぞかし疲れたろうと――」

「なるほど。その辺の苦労は、出来上がったフィルムを見ただけでは分からない。裏に色々とあるわけですな。表に出るのは、まさに氷山の一角ですか」

「そんなところです。――ああ、現場が撮影所ですから、見物も大勢来ていましたよ。ちょうど映画を撮っていたとかで、エノケンもいました」

榎本健一という、評判の喜劇役者だ。舞台に映画にと大活躍をしている。

「ほう、エノケンが『葵上』を――」

取り合わせが面白い。

「時代劇の格好をした、そのままで見物していました。道は違っても、やはり感ずるところがあるのでしょう、あれこれいいながら、熱心に見ていましたよ」

さて……と、叔父様はわたしの方を向き、

「そこでだが、実は今日は、英子ちゃんを誘いに来たんだ」

「わたしを？」

叔父様は大きく頷き、見せたいものがあるという。

「来週の火曜日なんだが、細川様の能楽堂で、万三郎（まんざぶろう）が『鷺（さぎ）』をやるんだ」

「必見——というわけですか？」

「だと思うんだ。『鷺』は、まだ観たことがない。珍しいし、面白い筈だ。それを、当代の名人といわれる、梅若（うめわか）万三郎がやるんだからね」

有り難いお誘いである。松子叔母が、《英子ちゃんにも声をかけてみたら》といってくれたらしい。叔父様は続けて、

「秋のお休みが、そろそろだろう？」

わたし達の学校は、年二学期制である。十月の半ばに短い秋休みがあって節目になる。それにはまだ少しあるが、始まるのが夕方で、場所も麹町区の富士見町だ。近い。

「せっかくだから、ご一緒して来なさい。学校が終わってからでも、十分、間に合うだろう」

と、父にもいわれ、翌週の観能が決まった。

6

昨今の能楽界では、学生能や大衆能とかいう、より広い層に観てもらおう——という試みが盛んだ。裏を返せば、《能楽とは改まったもの》という通念がある。

学生なら制服が正装だから、わたしもそのままでいい筈だ。けれども、送り出す母の方が着替えさせたがった。

せわしなかったが、家に着くとすぐ、用意の菊を散らした着物に着替え、応接間に行く。

「お待たせいたしました」

松子叔母が眼を細めて、

「まあ素敵。英子ちゃん、花の盛りね。もういつでも、お嫁に行けるわよ」

こんなことをいわれると一瞬、こっそりお見合いでも仕組まれているのか――と邪推してしまう。まあしかし、それならもっとゆったりした日程になるだろう。叔父叔母の能楽熱も本物らしいから、安心してよかろう。帯は締めても心は緩めて、のんびり出掛けることにした。

車だとすぐに、細川家能楽堂に着く。

演目は他にもあったが、そちらに出る筈の喜多六平太が代演となっていた。

「誰が誰やら分かりませんけれど、出る筈の人が出ない――といわれると、何だか残念な気がします」

お菓子の皿を食べる前に下げられたようである。

「いや、『元服曾我』は、どちらかといえば、ワキに見せ場がある。ワキの名人、宝生新が観られるよ」

と、叔父が解説してくれたが、それといってお誘いをいただいたこともあり、わたしの眼目は、やはり『鷺』である。

松子叔母が、いつも通りのにこやかな笑みを浮かべて、

「『鷺』のシテはね、十六歳以下、六十歳以上の能役者が演じるのよ。面白いでしょう」

「どうしてですか？」

「演じるのが鳥だから――かしら」

「十七から……五十九までだと、人間臭い――というわけでしょうか？」

叔母は悪戯っぽい眼で、叔父を見て、

「そんなところでしょうね。だから、この人なんか、まだちょっとは生臭いわけ」

「おいおい、英子ちゃんの前で変なことをいうなよ」

と、叔父が苦笑いしてから付け加える。

「『鷺』は直面（ひためん）で演じる。つまり、お面をかぶらないんだ。もし壮年の者が演じる時は、《延命冠者（えんめいかじゃ）》の面（おもて）をつけて顔を隠す」

面白い――と思った。人であることを隠し、舞の精霊そのものになるのだろうか。いかにも秘伝の曲という感じがする。

ところで、お能を観に来ても、言葉が分からないと、知らない街に置いて行かれた子供のようになる。そこはよくご承知の叔父が、『謡曲全集』の一冊を持って来てくれた。文章だけでなく、シテの絵も入っている。

それで見るシテは、なるほど面をかぶらず、頭に鷺の作り物を戴いている。何も知らずに見れば、異類の化身というより、鳥にとまられた人のようだ。そう思うと、ちょっとおかしい。

能楽堂では、謡の本を見ながらの観客も多い。わたしは、これを参考書にすればいい。

さて、やがて、お待ち兼ねの『鷺』となった。

露払いのような人が前口上をいう。そして帝の一行がぞろぞろと現れる。皆が素顔だ。

――久方の、月の都の明らけき、光りも君の、恵みかな。それ明君の御代のしるし……。

と、謡い出される。

お供を従え先頭に立った陛下は、お若く美男である。そのまま現代の映画に出てもいいようだ。

いや、それに加えて気品もある。

名人万三郎は、姿形も優れているという。きっと、その血筋の人なのだろう。

帝の一行は、神泉苑(しんぜんえん)に着き、湖水の風趣を楽しむ。

——げに面白き景色かな。鷺のいる、池の汀(みぎわ)に松ふりて……。

そこで、橋懸かりに鷺が姿を現した。

あっと思った。純白の装束、長く垂らした白髪までは、想像した通りだ。だが、整っているという万三郎の顔が見えない。——面をかぶっているのだ。

わたしは、ちらりと叔父を見た。叔父も《意外だ》という表情で、わずかに首をひねって見せた。

面は白く、両目はへの字に並んで喜色を見せている。口はといえば、やはり笑いの表情だ。明け方ふと眼を覚ますと、上弦の月の出だったことがある。ベッドの脇の窓から、綱で引かれるように、するする昇って行くのがよく見えた。ワンダーランドでアリスが見た、口だけで笑う猫のような月だった。それによく似た口だ。

静々と現れ、舞う姿は、その面ゆえに異様で、やや不気味だった。白い姿は、鳥のようでもあり、また雪の精が風に揺れるようでもある。

鷺は、我が意のままに飛ぶ。若い帝は、それを見て《いかに誰かある》と呼ぶ。涼しい声だ。鷺の舞い姿が御意に召した陛下は、捕らえて来いと命じる。

しかし、相手は空を飛ぶ鳥である。橋懸かりで捕らえようとするが、自由に飛んで、奥の幕の前まで逃げてしまう。そうなると、嫌々をする子供のような無心さが感じられて来た。

家来達では、どうにも処理出来ない。そうなったところで、鷺にとって絶対の言葉がかかる。

――汝よ聞け勅諚ぞや、勅諚ぞ……。

勅命が発せられたのである。かくなれば、仕方がない。鷺は《羽を垂れ地に伏》すばかりである。捕らえられた身は、帝の前に引き出される。

陛下は、その心を愛で、鷺に五位の位を授ける。それを知った鷺は、《さも嬉しげに》立ち上がる。ふわりと右手が上がり、白いゆったりとした袖が広がる。

そこから始まる舞は確かに、人のものではないようだった。

上がって強く打ち下ろされると見えた足が、床に届く時、すっとどこかで勢いを断たれ、音は虚空に吸われる。しんしんと静かだ。そこで音がしないから、鷺は中空にいるようであり、この世のものの持つ重さからも解放される。

着ている白も、能楽師の装束ではなく、何かそれを越えたものに見えて来た。現実にそこで動いているのだから、あり得ない話だが、万三郎の袖は、引力の法則を越えスローモーションで動いているようだった。演ずる者の命は、まとう衣装の袖の端にまで行き渡り、精妙に震えていた。

白い人の、笑みをたたえた面にも、今は違和感を覚えなくなった。ただ、《この下に、本当に顔があるのか》という気になった。あるとしたら、どういう顔なのか見たくなった。

――勅に従うこの鷺は……。

で、万三郎はひれ伏す。面はうつむき、表情は消えた。恭順の意を示した鷺は、御意にかなう。

――放せばこの鷺……。

で、鷺ははじかれたように立つ。《心嬉しく飛び上がり、心嬉しく飛び上がりて》と喜びの勢

いを見せ、一気に幕へと向かう。そして、白い人は、

——行方も知らずぞなりにける。

7

万三郎が、『鷺』で面を使ったのは実に異例のことだったらしい。能舞台から演者が消えると、観客の咳き(しわぶき)に混じって、それについていぶかしがる声がした。わたしも当然、叔父に向かって、

「あれは？」

と、聞いた。

「あれが《延命冠者》の面だよ。《翁(おきな)》の若いものといったらいいか……いずれにしても、世間普通の《人》ではない。神がかったものだ」

それなら、鷺がかぶるのも分かる。

「でも、万三郎さんは六十を越しているんでしょう？」

「ああ」

「だったら、普通に、面なしでやってもいいんでしょう？」

「そうなる筈だが、よく分からんな。——自分の顔がまだ枯れていないと思ったのか、あるいはただ、《試してみよう》という軽い気持ちからか」

いずれにしても、わたしは改めて能面の持つ玄妙さに感じ入った。そのことを話すと、叔父は満足げに頷いて、

「面は名人が使うと血が通う。演者によって全く違うものになる。それはもう、驚くほどだ。――しかしね、舞台を離れて、それだけ見ても、十分、鑑賞にたえるものだよ。能面は、やはり日本独自の素晴らしい美術品だ」

文部省が音頭を取り、各流派の所蔵する面について、系統的な調査を始めたところだという。

「確か上野の美術館でも、展示をやっていましたわね」

わたしは行かなかったが、《日本の古面》という催しがあったような気がする。見ておけばよかったと思う。すると、叔父が、

「能面に限っていえば、来月、銀座の画廊でも展覧会をやるよ」

「そうなんですか」

「ああ、こぢんまりとはしているが、名品が出る」

能楽好きのお仲間から、情報が来るのだろう。

わたしにも馴染み深い鳩居堂や資生堂パーラーにも、そういった場所はある。銀座では各所で連日、浮世絵や洋画など様々な企画の展示が行われている。

「興味を持ったのなら、一緒に行ってみようか？」

と、願ってもないお誘いだ。

「はい、ぜひ」

松子叔母もにっこりして、

「楽しみにしているわ」

と、いってくれた。

『謡曲全集』は、その予習の意味もかね、お借りして読んでみることにした。

8

わたしの方がこうして、古典を読んだり芥川を読んだりしているのに、うちの文学士様ときたら、何やら怪しげな本に熱中している。

翌週の土曜日のことだ。雅吉兄さんは、朝から長椅子に横になり、不可解な文様の描かれた表紙を上に向け、その本に没頭していた。いかにも腕が疲れそうだ。

最初は洋書かと思ったが、そうではない。

「……『黒死館(こくしかん)殺人事件』？」

「ああ」

と、開いた本の屋根の下から答える。

「探偵小説ね」

「そう簡単にはいえん代物だぞ。待て待て、今、ここの所を読んでやる」

といって椅子に座り直し、高らかに朗読し始めた。

「——二世紀アリウス神学派の豪僧フィリレイウスは、斯う云う談法論を述べている。霊気(ニューマ)(呼吸の義)は呼気と共に体外に脱出するものなれば、その空虚を打て——と。また、比喩には陥絶したるものを択べ——と。正に至言だよ。だから、僕が内惑星軌道半径をミリミクロン的な殺人事件に結び付けたと云うのも、究極のところは、共通した因数(ファクター)を容易に気附かれたくないからなんだ。そうじゃないか、エディントンの『空間・時・及び引力（スペース・タイム・エンド・グレヴィテイション）』でも読んだ日には、その中の数字に、てんで対称的な観念がなくなってしまう。それから、ビネーのような中期の生理的心理学者でさえも……」

本を置いて、《どうだ》という。わたしは、大袈裟に肩をすくめて見せる。

「——わけが分からない」

「お前には、まだ難しいか」

誰にだってそうだろう。

「謡でやったら、さぞかし皆、眠くなるでしょうね」

雅吉兄さんは、あはは、と笑い、手で鼓を打つ真似をする。同時に、口の中で舌を《ぽん》と鳴らす。

「しかし、お前の冗談も、案外いいところを突いている。言葉というのは不思議なもんだ。《海道下り》の文句なんかもそうだが、こういう羅列を無駄な遊びと片付けちゃあいけない。そう決めつける奴は、つまり、せっかちなんだな。——並の煉瓦では建てられない建築は、確かにあるんだ」

『新青年』に連載されていた頃から、一部で評判になった小説だという。今年、新潮社から箱入りの豪華本になって刊行された。

「そうそう。世の偶然とは面白いもんだ。この本の初めには、どきりとするような言葉遊びがある。探偵達が、犯罪の舞台となる館を訪れると、富貴と信仰を表す旗が逆の位置に置かれているというんだ。弥撒旗（ミサばた）、そして英町旗（エーカーばた）とね」

「それがどうしたの？」

「Mass（ミサ）からacre（エーカー）と置かれることにより、祝福の旗がたちまち、Massacre（マッサカー）、つまり《虐殺》にばけてしまうというんだ」

「まあ……」

背筋がぞくりとした。神のお告げは、いかに驕（おご）りたかぶっても、人の力では動かしようがない。人の世と共に生まれた言葉が、大勢の人の死を示している。そこに、ギリシア悲劇にも似た、黒い運命の暗示を感じた。

「それがな。今日の新聞を見たら、本と現実が、ちょっぴり重なったよ」

といって、兄は、目の前の東京朝日を指す。

「新聞がどうしたの？」

「《マッサカー》の本を読んでいたら、ちょうどそこに《マッカーサー》が来たってさ」

何だろうと思って、まだ読んでいなかった記事に眼をやる。

アメリカの前参謀総長ダグラス・マッカーサー大将が、フィリピンに赴任する途中、横浜に立ち寄った――という。

顔写真も載っている。口をへの字に結んだ意志の強そうな人だ。五十を越しているが、独身。母親が一緒に来ている。記者が、乃木将軍が台湾総督となった時、母堂が御奉公のために同行し、彼の地で逝去されたと語ると、大将は感銘を受け、《私の母も、きつと乃木将軍の母堂の持たれた心持ちと同じ思ひ子供として感謝に堪へぬものであります》と語った。

アメリカでは錚々（そうそう）たる方なのだろう。しかし、我々が、日本の新聞に顔写真入りで出ているのを見ることなど、これからはまずなかろう。

多くの人の死を表す《マッサカー》の後に、《マッカーサー》を繋げたといえば、大将は気を悪くするかも知れない。しかし、こういう本の出た年、それを兄が読んでいた時、《ダグラス・マッカーサー将軍》が日本に立ち寄ったというのも、わたしからすれば不思議な偶然に思える。

神の手は、人には計り知れぬ動きを見せるものだ。

9

秋の休みの午後、叔父様達と銀座の能面展に出掛けた。

横に流れる雲の白が引き立つ、明るい水色の空だ。縦にはアドバルーンの引く字幕が下がっている。こちらから見ると、丁度、裏返しになっているので、すらりと読めない。簡単なカタカナが、かえって《ソだろうか、ンだろうか》と、紛らわしかったりする。

行き来の靴音は絶えることがない。銀座を歩くこと自体を楽しむように、皆、晴れやかな表情を見せている。

画廊は、フランス菓子のコロンバンから奥に入ったところにある。そういうわけで、まずは、コロンバンのお茶と甘いものをいただいた。

フランスの楽しみを口で味わったところで、さて次に、日本の芸術を眼で鑑賞しようとなる。のんびり歩いて会場に着く。なるほど広くはないが、かえって集中して見られそうだ。疲れるほどの規模だと、注意力も散漫になってしまう。

来訪者は、入口で記名するようになっている。叔父が筆を取った。後ろに控えて、待っていると、思いがけず見知った人が姿を現した。

明るい秋の歩道を背景にした、娘らしい薄桜の地の着物である。裾に貝桶と組紐が色鮮やかに刺繍されている。ところどころの金糸が午後の光に、きらりと輝く。

「あら……」

と、思わずいってしまった。

学校で同じ組の小松千枝子(こまつちえこ)さんである。目立つ方だ。とはいえ、いつもでしゃばらず物静か、口数も少ない。学業成績や運動でも特別なことはない。それでいて目立つというのは、つまり
——お美しいのだ。

ご卒業になった方でいえば、桐原侯爵家のご長女、麗子様は野草の中に咲く薔薇のようであった。あちらが、目鼻立ちのくっきりした西洋風の美しさなら、千枝子さんは日本庭園に置きたい花である。

色白の瓜実顔(うりざねがお)で、睫毛の長い眼は切れ長だ。ただ鼻だけは日本女性の標準より高いだろう。その点は当世風といえる。

思いがけない出会いに驚いていると、向こうから先に、

「ごきげんよう」

といわれてしまった。あわてて礼を返す。先に立たれた、老松(おいまつ)模様の着物の方がお母様らしい。こちらに会釈なさった。そこから叔父叔母も含めて、

「いつも英子がお世話になっております」

「いいえ、こちらこそ」

と、挨拶の交換となった。

やはり、その方が千枝子さんのお母様だった。小松子爵家の奥様だ。他にお供の方が一人ついている。

老松は能舞台にも大きく描かれている。こういう場にはふさわしい。お二人の和服姿はまことに見事で、洋装で来た自分にちょっと引け目を感じる。

なぜ、千枝子さんがいらしたかは展示を見るとすぐに分かった。我々が能面といった時、真っ先に思い浮かべる種類の女面があった。その説明に、

——小面（こおもて）（小松家蔵）

と、所有者が書かれていたのだ。

東洋のモナリザといった、神秘的な表情を浮かべている。お家に伝わる品なのだろう。我が家の面が、銀座でどのような表情をしているか見に来たわけだ。

展覧会に出せる名品が家にあるとは、羨ましい。その気になりさえすれば、春秋、朝夕に対面出来る。

千枝子さんにどことなく似ている《小面》の、口元だけ、眼だけを見ていると、何だかふうっと引き込まれそうになる。全体像を眺めて、次に移った。

幾つか見たところで角を曲がると、ぎょっとするような異相と出会った。《大悪尉（おおあくじょう）》と書いてある。眉間の深い皺、極端に大きな鼻、かっと開いた口は、いいようもなく恐ろしい。子供が見たら、夜うなされそうだ。

能面は、人の心を写しているのだろう。となれば、我々の内にこういう感情があり、それをいきなり拡大して見せられるから恐ろしいのかも知れない――などと思った途端、重いものを倒したような激しい音がした。

奇怪な面と向き合っていたのだ。恐怖の画像にいきなり効果音を入れられたようで、飛び上がりそうになった。

「千枝子っ」

続く声に、また驚いた。見ると、床に美しい人が倒れている。

10

千枝子さんは無論、男のようにがっしりしてはいない。

――あの人が倒れて、あんな音がするの？

と、一瞬、不思議だった。

華やかな裾が少しも乱れていないのが何だか非現実的で、人というより大きな人形が横たえられているようだった。一本の棒に似た寝姿から、崩れ落ちるのではなく、背の高い花瓶でも突いたように、一瞬に、直線的に倒れたのだと分かった。

痩せてはいても、人一人がそうなれば、叩きつけたような衝撃があるのだろう。

「頭を打っているといけない。いきなり、動かさない方がよろしいでしょう」

と、叔父がいった。冷静な口調に、取り囲んだ人達も頷いた。

幸い千枝子さんは、十数えるほどの間に、ぼんやりと眼を見開いた。叔父は気をきかせ、すっと身を引いた。若い娘だから、女性陣にまかせた方がいいと思ったのだ。

千枝子さんは、しばらく天井を見ていたが、やがて羞ずかしそうな笑みをうっすらと口元に浮かべ、

「大丈夫ですわ。申し訳ございません」

松子叔母が、

「お水でも、お持ちいたしましょうか」

受付の人に頼めば、持って来てくれるだろう。しかし、当の千枝子さんは、

「いえ……」

と、しっかりした声で応じ、ゆるゆる身を起こした。

お母様が、頭を下げながら、

「帯がきつかったのかも知れません。ご心配をおかけいたしました」

それを受けるように、千枝子さんは帯の辺りをそっと撫でた。それから、お供の方に手を添えてもらい、休憩のため置かれている長椅子に座った。背もたれはないが、壁際なのでその気になれば体を預けられる。

他のお客も一組いたが、相手が若い娘とあって、じろじろ見たりもせず、さりげなく立って行った。

「もう大丈夫でございます。わたくしは、こちらでしばらく休んでおりますから、どうぞ皆様……」

こうなると、かえって側にいるのも迷惑だろう。わたし達は、残りの面の方に向かった。一通り見て戻ると、千枝子さんは、手にハンカチを握って休んでいる。

「それでは……」

こういう場合は、《お先に失礼いたします》という語尾も消えがちになる。

千枝子さんは、わずかに身を乗り出し、ひっそりとした声で、

「……花村さん」

「はい？」

小さい声に合わせて、顔の側まで耳を寄せると、千枝子さんはいった。

「……今日のことは、どうか、ご内聞に」

昏倒したのだ。乙女として、人に知られたいことではない。当たり前の頼みだから、即座に頷いた。

「あちらの小説や映画では、年頃の娘がやたらに気を失ったりする」

と、拾ったタクシーの中で、叔父が話し始めた。

「そういうものと比べるのは、不謹慎ですよ」と叔母がたしなめる。

「いや、——そんな時には、ちょうど二枚目がいて支えてやったりするのだがね」

「ますます不謹慎です」

叔父は、《参ったな》と顎を撫で、

「能楽の方でも型としてあってね、ああいうのを《仏倒れ》というんだ」

「後ろに倒れるのですか？」

「ああ、どうとばかり真っすぐにね。しかし、舞台ならともかく実際に、——何というか、ああも青天の霹靂（へきれき）のごとく、倒れるものかねえ」

「女は、身も心も繊細なものです。殿方のように、がさつには出来ていないのですよ。——ねえ、英子ちゃん」

と、同意を求められる。女の子ばかりの学校に通っている身としては、《いえ、ところが、がさつなところもございます》と答えたくなるが、そこはしおらしく猫を被る。

「はあ……」

叔父は笑って、

「やれやれ、とんだことをいわれるものだな。——しかし、倒れたところに何かがなくてよかった」

「本当に。——椅子や植木鉢で頭を打ったら、大変でしたわ」

「意識を失って、かえって無駄な力が入らなかったんだろう。それもよかった。酔っ払いが倒れた時、案外、怪我をしないようなものだ」

叔父達の話は、まだ続いていた。だが、わたしの頭の中では、ひとつの疑問がくるくると巡っていた。

——千枝子さんは、なぜ倒れたか？

無論、わたしも最初はただ体調のせいと思っていた。学校でも、長いお話を立ってうかがっていると倒れる人が出たりする。蒲柳（ほりゅう）の質らしい千枝子さんには失神が似合ってもいる。だが、半身を起こした時の彼女の様子は、ちょっと変わっていた。

千枝子さんは、位置からいって倒れる前ちょうど見ていた筈の能面に、ちらりと視線をやりかけた。そこで、火に近づいた手を離すように、はっと眼をそらしたのだ。椅子に座ってもなお、そちらからは視線をはずしているようだった。これが《大悪尉》なら分かる。見るからに忌まわしいのだから。

しかし、そこにあったのは——《今若》と書かれた、若い男の面だった。やや悲嘆の色こそうかがえるが、見て不快なものではない。むしろ、貴公子の容貌といってもいい。

面を見て倒れた——というのでは、あまりにも心が弱いだろう。子供ではないのだ。まして、それがこんな面では、わけが分からない。

気づいたのはわたしだけかも知れない。《人前で昏倒した若い娘の動揺》の影に、そういったことは、全て隠れてしまった。

わたし自身、最初は格別の意味も感じなかった。しかし、時が経つにつれ、顔を寄せていわれた言葉が、不思議に耳に響くようになった。

——ご内聞に。

その中に、昏倒だけでなく、《今若》の面のことまで含まれているように思えて来たのだ。

勿論、だからどう——という考えも、ありはしないのだが。

11

秋学期は、いつもあわただしく過ぎて行く。とりわけ今年は、そうだった。

開校五十周年式典があり、記念展覧会は皇太后様台覧の栄に浴した。日本青年館での記念演奏会があったり、続いてすぐに体操会だったり——と、大きな行事が後から後から続いた。

まるで回り灯籠を速廻ししているような目まぐるしさだった。何かに、せかされているような気がする。遠い先のことと思っていた、後期最高学年——というところまで来てしまったからだろう。

そして、修学旅行——と聞けば、否応なしに、幼い頃から変わることなく過ごして来た日々が、一つの節目に来たことを知らされる。

12

出発の日は、あいにく昨夜来の雨が降り続いていた。ベッキーさんが車で送ってくれる。乗り込もうと外に出ると、雨の表は薄暗くぶるっとするほど冷え込んでいた。東京駅までは、母も来てくれた。

発着を知らせるアナウンス、《とうきょー、とうきょー》という鼻にかかったような甲高い声、ベルの音が早くも旅情をかき立てる。

点呼の後、列車に乗り込み、窓辺からお見送りの方々に手を振ったり振られたりしていると、日常を離れて銀幕の登場人物の一人になったような気がする。

列車は定刻の九時、東京駅を出発した。

三島を過ぎた辺りで空がやや明るくなり、皆が歓声をあげたのはいうまでもなく、霊峰富士の姿が見られるかと期待したからだ。しかし残念、その美しい姿は重なる雲の彼方だった。

しっとりと濡れた蜜柑山や茶畑、藁屋根の家、稲の刈り取られた田など、次々と広がるパノラマを見ている内に空は晴れ、晩秋の澄んだ光が車窓に満ち始めた。

名古屋で関西線に乗り換え、二見に着いたのは五時五十分。朝には東京にいた身が、座ったままで夕刻には伊勢にいる。弥次さん、喜多さんが聞いたら、さぞ驚くことだろう。

夜の二見の町はひっそりと静かである。ただ潮騒が遠くから響き、そちらが海だと分かる。車に分乗して、今宵の宿に着いた。

消灯後もたわいのない話の花が闇の中で咲いたが、その枕にも、二見ヶ浦の波音は絶えることなく迫って来た。麹町の家では、父母は、兄は、ベッキーさんは今頃、何をしているのだろう——と、ふと考えた。

ピィーッという笛の音は、起床の合図。いつの間にか浅い眠りに誘われていたわたしも、びくりと驚いて眼を覚ました。

飛び起きて支度をし、朝食をすませると、一同、ほのかな朝靄の中、海岸に向かう。道の左手に海が広がる。彼方の水平線を縁取る東の山々は、朝日を懐に抱いて輝いている。手摺りの付いた遊歩道を、靴音もひそやかに歩いて行くうちに、いよいよ日は昇り始める。

「まあ……」

誰の口からともなく嘆声がこぼれる。金波銀波——というが、そこに朝日が朱を加える。輝きの具合は、それこそ一秒ごとに変化していく。

「天然色の映画でも、この現実にはかなわないでしょうね」

と、並んで歩いていた道子さんがいう。桐原侯爵家の下のお嬢様で、今のわたしの一番親しいお友達だ。

「そりゃあ、足元にも及ばないわ」

色も波音もそうだが、こちらには広がりがあり潮の香まで付いている。何よりも、フィルムの上にピンでとめられた景色の標本ではない。生きて動いている。おかしないい方だが、景色もまたわたしを見ているような繋がりを感じる。

夫婦岩への大きなカーブをちょうど回った時、太陽は、遠望する山々を完全に離れた。烈々たる円形ははしご段を上がるようにぐんぐんと上昇して行く。無論、宿の人がそうなる時刻に送り出してくれたわけだが、この場所でこの時という、あまりの見事さにうなってしまう。

昇る旭日と共に、宿を出た頃にはやや切り抜き影絵めいていた辺りの風物も、一気に彩りを持って来た。横からの光に、人々の顔もくっきりと浮かんで来る。冷え冷えと頰を刺した早朝の空気にも、幾らか穏やかさが加わるようだった。

二見ヶ浦といってすぐに思い浮かべる夫婦岩は、わたしの勝手な想像よりずっと大きかった。三階建ての家ほどもある巨大な男岩の頂きから女岩へと太い大注連縄が伸びている。写真で見た時には、何となく大きな庭石ほどのものかと思った。実景を見てしまえば、滑稽な勘違いである。本物に触れなければ分からないことは、色々とあるものだ。

ここでの日の出こそ、二見ヶ浦の名物だ。大勢が見物に来ている。わたし達は、すぐバスに乗って伊勢神宮参拝に向かうから、冬のコートの完全装備である。しかし、あちこちの泊まり客の中には、帰って朝食の人が多いらしい。何人もが宿の丹前に身をくるんでいる。中には、まず朝風呂に入って来たのか、手拭いを肩にかけた客もいた。そういう人達の眼が、ちらりちらりとこちらに向く。何となく、動物園の珍しい獣になったようだ。

素晴らしい景色に、ここぞと思い、首から下げた写真機に手をかける。修学旅行中まず最初の、撮影の好機だ。朝日の海の輝きそのものを撮りたいところだが、雅吉兄さんから、

「まだ、お前には逆光は無理だからな。太陽を背中にして撮るんだぞ」

と、指導されて来ている。

道子さんと側の方々、二、三人を撮り、わたしも撮ってもらった。あちらこちらで、カシャリカシャリと、シャッターの音が鳴った。

ふと気が付くと、少し先で千枝子さんが、夫婦岩に向かって整った横顔を見せている。だが、その首からも肩からも写真機の吊り紐は下がっていない。

——お忘れになったのかしら？

それなら、仲間はずれのようでお寂しいか、と思った。

——撮ってさしあげようか。

心は向かいかけたのだが、なぜか不思議な拒絶の色を感じ、遠慮してしまった。

13

伊勢から、大阪、神戸、明石と進む。要所で、地元の高等女学校の先生方が、案内に来て下さり、丁寧な先導や説明をして下さった。

三日目には京都着。翌日、平城の都、奈良へと向かう。

興福寺、春日大社と巡り、若草山の麓で休んでいる時、耳を打つ鈴の音。

「号外、号外ーっ！」

という叫び。何事かと緊張すると、これは第二皇子様ご誕生の嬉しい知らせだった。慶祝の万歳の後、東大寺に向かった。

公会堂での昼食の後、広い芝生に出る。十一月の末とあって緑ではない。枯れ葉色の絨毯を敷いたようだ。日差しの明るい中を、我々のことなど知らぬげに、鶴が三羽、鳥の王の位を見せ悠々と遊歩している。

ここで、楽しみにしていた鹿寄せがあるのだ。各自、鹿煎餅をいただきわくわくして待つ。

鹿守が現れる。お雛様の仕丁のような白い着物だ。手にラッパを持っている。古式ゆかしい姿と西洋のラッパの取り合わせが妙だ。

「あれで、鹿を呼ぶのよ」

などとささやきあっているうちに、金管の小ぶりの楽器が、青い空に向かって高らかに鳴らされた。

するとたちまち鹿の群れが、徒競走でも始まったように、次から次へと走り込んで来る。地を打つ蹄の音が辺りに響く。奈良中の鹿が、この庭に集まるような勢いだ。

こうなると、悠然としていた鶴も片隅に逃げ去る。しんと静かだった芝の上は、あっという間に三百を越そうかという鹿の大群に占領された。

鹿は撒かれた馬鈴薯に首を伸ばし、夢中になって口を動かす。大きいのも小さいのもいる。栗色だが、お尻のところだけ丸く白い。後ろを向いて首を下にすると、そのお尻がちょこんと持ち上がるのが可愛い。

馬鈴薯を食べ終わると、さて——とばかりにわたし達を見、とことことやって来る。

あちらは、こちらがお煎餅を持っていると先刻ご承知なのだ。

「わー、付いて来るー」

笑いの混じった悲鳴が、あちらこちらから上がる。わたしも顔を押し付けられ、催促がましくつつかれた。

「はいはい、あげますよ」

角切り(つのき)が終わっているから、男鹿でも、ぐさりとやられることはない。それでも、多少は恐ろしい。

一番最後まで、お煎餅を持っていたのは、有川(ありかわ)伯爵家の八重子(やえこ)さんらしい。どことなく栗鼠(りす)めいた顔をしている。しばらく前まで、わたしも親しくさせていただき、お屋敷のパーティにも、何度か呼んでいただいた。英語の宿題のお手伝いもしたことがある。

わたしが、桐原侯爵家の道子さんと会話を交わすようになってから、何となく疎遠になっている。

ちょっと人をじらすところのある方なのだが、今日は鹿を相手どってそうしている。お煎餅をポケットに隠し、わざとらしく腰を振って歩いていた。ところが、敵も百戦錬磨。

——こいつ、怪しいぞ。

——うん、そうだな。

などと、やり取りを交わしたものか、次第に八重子さんを囲み出した。

「あら、有川さん。大ピンチね」

「どうなさるの」

と声をかけられても、最初は《フン、たかが鹿風情》という強気な顔をしていた。けれども、鼻で嗅いで分かるのか鹿達は八重子さんのポケットに口を伸ばした。動物だから、伯爵家令嬢にも遠慮などしない。次第に険悪な表情になって来る。

——いい加減にしろよ、この野郎。

有川さんは、野郎ではないが、まあ鹿の気持ちを代弁すれば、そんなところらしい。

動揺の色を見せまいとしていた八重子さんだが、こうなっては仕方がない。どんとお尻を突かれたのをきっかけに《きゃっ》と悲鳴をあげると、ポケットのお煎餅を取り出し、くずれかけたそれを節分の豆でも撒くように、あわてて撒き出した。

14

宇治から京へと戻り、夜は新京極での買い物も楽しんだ。雨がぱらついたが、そんなものは気にならない。

翌日は、清水(きよみず)の舞台にも立ち、また御所(ごしょ)も拝観した。紫宸殿(ししんでん)から歴史に残る様々な会議のなされた小御所、そして御学問所などを拝し、清涼殿(せいりょうでん)へと移った。萩の戸や藤壺(ふじつぼ)の上の御局(みつぼね)はここと知り、清少納言が《気味が悪い》と眉をひそめた荒海の障子などを見る。一方に足長の怪人が手長を背負い、一方では手長が波立つ海に向かい魚を捕らえんとしている奇怪な墨絵である。この前に『枕草子』の作者も立ったのかと思うと、不思議な気持ちになる。

華族会館での昼食の後、金閣で名高い鹿苑寺(ろくおんじ)に行く。

楼閣が物寂びた影を広い池に映している。昔は、名の示す通り金箔を施されていたそうだ。箱や像ならともかく、建物全体を金で覆うという発想に驚く。足利義満(あしかがよしみつ)は、おそろしく我が儘な人だったのだろう。

数百年を経た今では、わずかな箔の名残りが、晩秋の光の中に往時をしのばせている。

現代の我々に、昔のきらびやかな姿を見ることはかなわない。だが、それだけ純粋に、形の絢爛さと時のうつろいを感じる。

六日目は、旅行中最も遠く、山陰線から天橋立(あまのはしだて)に向かった。幸いに好天である。

行きはモーターボートに分乗して舟から眺め、ケーブルカーで傘松公園へ。ここでは《ナントカのぞき》ということをするのが習わしのようだ。はしたないとあって、わたし達は腕を上げ、《袖のぞき》で代用した。

天橋立は天下の景勝地である。土産話の種になるだろうと、写真機を取り上げた。その時、少し先で、所在なげにしている千枝子さんと眼があった。

そういえば、二見ヶ浦の時と同じく、ここまでも友達に撮ってもらう姿を見ない。無論、全体の集合写真は、嫌でも入らないわけにはいかない。だが、それだけだ。

確か小松家は、有川伯爵家と縁続きだ。学校でも、千枝子さんは八重子さんと一緒にいることがある。

八重子さんの方は旅行の最初からずっと、手慣れた様子で写真機を扱っている。——そういう時、美しい千枝子さんが、被写体になってもいいのに……。

そんな気持ちが働いて、写真機を持ったまま、ふと眼で、

——お入りになる？

と、聞いてしまった。しかし、千枝子さんは、これも眼で、

——いえ。

と、答えた。

帰りは列を作って橋立を歩いた。まさに海中の架け橋だ。風はない。水上に伸びる一里もの松原は、おとなしい波にひたひたと囲まれている。真っすぐに見れば、どこまでも続く、山中の道のようだが、潮の香がさすがに間近に感じられる。

下には一面に松の落葉が散り敷いて薄い布団のようになっているが、眼を転じて波打ち際を見れば、白砂が続いている。

途中で、自由時間があった。

海へと続く砂浜に出ると、打ち寄せられた海草が、幾つとも知れぬ布切れのように転がっている。皆が貝を拾い出したので、わたしも腰をかがめる。

拾い始めると、より形のいい、美しいものはないかという気持ちになる。波打ち際に近いところまで行き、子供っぽく熱中していると側に寄る人がいた。

「花村さん……」

はっと顔を上げると、千枝子さんだった。微かな声が届くほど近くには、人がいない。折しも

夕日が、宮津の海を紅に染め始めていた。

千枝子さんは、ひそやかに続けた。

「……東京に帰ったら、わたくしの話を聞いていただけますでしょうか」

15

一週間の修学旅行を終え、超特急燕(つばめ)号に乗って、無事、東京駅に着いたのは月が代わった十二月一日。夜の九時のことであった。

家に着き、おみやげのツゲの櫛やら何やらは出したが、さすがに疲れた。時間も遅い。あれもこれも後回しにして、汗を流すとすぐベッドに入った。

慣れた床が、やはり寝やすい。眠りの雲に、くうくうと包まれてしまった。

さて、日常の生活に戻ると、千枝子さんのことが気になる。日本風の美人――というと、西洋流の顔をあげた元気さに対し、うつむき加減の憂い顔が浮かぶ。

千枝子さんは、まさにそれだ。そんな人から改まって、《お話がある》といわれると、かなり深刻なことかと身構えてしまう。その一方で、

――何かしら？

という好奇心も、くすぐられる。

小松のお宅より、こちらに来た方が話しやすいそうだ。家の中に知った耳がないからだろう。ますます、秘密めいている。

学校の帰りに、目立たぬようにご一緒して、来ていただいた。

わたしの部屋にお通しして、紅茶だけ運んでもらうと、後は二人きり。千枝子さんが制服のまだから、わたしも着替えずに向かい合った。

千枝子さんは、こう話し出す。

「せっかく、お写真にお誘いいただいたのに、失礼いたしました」

わたしは、首を横に振った。千枝子さんほど目鼻立ちが整っていると、レンズを向けられることも多く、うるさく不快なのかも知れない。

だが話は、意外な方向に動いた。

「先日、銀座でお会いいたしましたでしょう？」

「はい」

能面展での巡り合いだ。

「実は、あの時のことと関係があるのです」

「……え？」

わけが分からない。

「順を追って、お話しいたしますわね。修学旅行には、皆さん、写真機をお持ちになったでしょう」

わたし達の学校では、ほとんどの方が用意していく。

「ええ」

「それで、わたしも——と思って、八重子さんに相談してみたのです。あの方は、しばらく前から、お撮りになっていますから」

小松家から出た女の方が、有川家のどなたかと縁組なさっている。そういう繋がりがあるのだ。千枝子さんも、有川邸においでになる機会は多い筈だ。そこで写真機を扱う八重子さんを見たのだろう。

写真を趣味にする人は多い。舶来カメラでなければ駄目——という時代も過ぎ、一層、その輪が広がった。近頃では、女性の愛好家の集まりなども話題になっている。八重子さんが凝り出しているのなら、ご指南を仰ぐのは当然のことだ。

「——初めての者にも使いやすくて手頃なのは、《オリムピック》ということでした」

新聞広告で見たことがある。高級機なら数百円もするのが写真機だ。しかし、国産普及版のこちらは十円を切った。初心者には適当な機種だろう。小さめだから、女の手にもなじみやすくていい。

名前に引かれたオリンピックという響きも明るい。ロサンゼルスに続いて、来年はベルリン大会が開かれる。その後には、我が東京が名乗りをあげている。

対抗馬は、北欧のヘルシンキらしい。しかし、優勢なのはこちら——と伝えられている。予想通り、東京に決定となれば、オリンピックが初めてアジアで開かれることになる。東洋のこの地に、世界の人々が集う。

どこか手の届かない遠くで行われていたことが、この眼で見られるようになるのだ。まことに今、オリンピック——とは、華やかな夢を表す言葉であり、また、それは現実になろうとしている夢でもある。

「——それで、服部時計店に連れて行ってもらいました」

二人だけではないだろう。どちらかのお兄様か、叔父様辺りが一緒の筈だ。服部はいうまでもなく尾張町の角、屋上の時計台が街行く人を見下ろす、あのお店だ。時計店——とはいうが、眼鏡、装身具、蓄音機など様々なものを扱っている。

無論、写真機も売っている。

「——これと決まっているのですから、簡単です。オリムピックを買うと、フィルムを入れてもらい、銀座通りに出て、すぐに撮ったり撮られたりの実習です」

そうなるのが自然だろう。天下の銀座だから、被写体として不足のない建物が揃っている。名物の柳を背にして一枚——ということにもなったろう。

「——銀座で使ったのは七、八枚でした。オリムピックは八枚撮りのフィルムで、倍の十六枚撮れるそうです。残りを使い切るまで一週間ほどかかりました。そこで、うちの者に頼み、服部に出して来てもらいました」

よほど不便なところでない限り、買った店で現像焼付けを頼むのが普通だ。出来上がりの日にちを聞き、写真機には新しいフィルムを入れてもらって来る。

趣味は写真だ——と胸を張る人は、自宅に暗室まで作り、引き伸ばしたりもする。しかし、女性の場合は、お店に頼むことが多いだろう。

仕上がった写真の束を、

——さて、写り具合はいかに？

と、見ていくのは楽しいものだ。わたしも、うちのパーレットで経験済みだから、よく分かる。

「――ところが……」

千枝子さんは、そこでいいよどんだ。わたしは、わずかに身を乗り出して聞いた。

「失敗なさったの……？」

「いえ……」

といって、脇に置いていた手提げ鞄に手を伸ばす。教科書などの入っている通学用の鞄だ。千枝子さんは、その中から、何葉かの写真を取り出した。

「見てよろしいの？」

こくんと頷く。

わたしは受け取り、一枚一枚眺めていった。当日の天候がよかったせいか、くっきりと撮れている。

服部時計店の前もあり、少し歩いたところで撮られたものもある。市電も写っていた。勿論それらは背景で、中央には八重子さんか千枝子さんがいる。二人が並んでポーズを取っている写真もあった。

背後の人物に洋装の女性が多いのが、いかにも銀座らしい。後ろ姿のうち、腰で結んだリボンを下に垂らしているのが、今年の流行だ。

わたしは写真を持ち孔雀の羽のように広げさせて、繰り返して見たが、変わったところもない。わたしは写真を持ち孔雀の羽のように広げて、千枝子さんに向けた。トランプ遊びのようだ。

「よく撮れていますけれど……？」

千枝子さんは、ババ抜きの一枚を選ぶように人差し指を伸ばした。気のせいか、指先がわずかに揺れているように思えた。

「……これ」

華奢な爪が示したのは、八重子さんが写っている一枚だ。服部の前で撮られている。

「――これが何か？」

「八重子さんの後ろに、男の人が写っているでしょう？」

「――ええ」

その通りだから、即座に答える。すると千枝子さんは、ほっと息をついてソファに背を預けた。

まるで《あなたにも見えるのね》というような、おかしな反応だ。

だが、別に変わった男ではない。上等の背広を着た青年紳士だ。むしろ、品のいい顔立ちだ。

八重子さんから数歩下がったところで、こちらを見ている。

奇妙な沈黙が、少しの間、続いた。やがて千枝子さんが、切れ切れに囁（ささや）いた。

「お思いになりませんか？……その方のお顔、あの時の面に……似ていると」

16

瞬時に思い出した、眉間に憂愁をたたえた《今若》の面を。記憶の闇の中にそれが、青白い光でも浴びたように、はっきりと浮かんだ。

「……確かに、少し……」

と、咄嗟に受けてしまった。なるほど似ていなくもない。だが、千枝子さんの言葉に引きずられたところもある。

この男が今、千枝子さんにつきまとっているのだろうか。生まれつき人目を引くための気苦労か。だとしたら、能面展の会場で倒れたのも分からないではない。前提があってのことなら、わずかの衝撃も、駱駝（らくだ）の背に載せた最後の藁一本になる。

「でも……面は、人の顔を写したものです。誰かの顔にどこかが似通ったところで、格別、おかしくないでしょう」

気を引き立てようと、わざと元気にいってみた。千枝子さんは、写真を見たまま、

「淡路邦豊（あわじくにとよ）様とおっしゃいます」

「……は？」

「このお方は、淡路様とおっしゃるのです」

どこかで聞いたような名前だ。千枝子さんは、ちょっとうつむき、

「わたくしの……」

そうだ。千枝子さんの婚約者だ。有川、小松の縁に繋がる方で、確か、大きな会社の跡取りだと思った。

本科の卒業が近くなると、婚約の整う方も珍しくはない。誰がどなたと——というのは、当然、学校でも話題になる。そこで耳にした名前なのだ。

千枝子さんは、おそらく有川家の何らかの催しで、あちらの眼にとまったのだろう。当人より先に、まず親御さんが眼をつけて息子に勧める場合もある。品のないいい方をするなら、《あれだけの娘、早いとこ決めとかないと、他に持っていかれちまうぞ》——そんな感じだろうか。

婚約者なら、秋の気持ちのいい休日、銀座の買い物にご一緒した――というのも、頷ける。何をしても嬉しい頃に違いない。ただ、お二人で写っている写真がないのがちょっと寂しい。きっと八重子さんの眼があるから、遠慮したのだろう。

「そうすると、この――八重子さんと並んだ一枚は、――淡路さんがお撮りになったのね？」

二人で並んでいる写真は、別の人にしか撮れない。だが、千枝子さんは《いいえ》といった。低い声だった。

「わたくし達と弟達、それに、あちらのお付きの方とで参りました。二人が写っている写真は、――八重子さんの弟さんがシャッターを押してくれました」

「……え？」

どういうことだろう。婚約者の名が出ない。わたしは、顎に指を当てて考えてしまった。そして、聞いた。

「すると、……淡路さんは、たまたま通りかかったのですか？」

「――いいえ、いいえ」

千枝子さんは、ゆっくりと首を振った。どこか人形めいた仕草だった。

「……はい？」

間抜けた声を出してしまった。

千枝子さんは、白い首をすっとこちらに動かして囁いた。

「淡路様は――この時も今も、台湾にいらっしゃるのです」

17

千枝子さんの婚約者は、その四日前、夜行の寝台列車で神戸に向かった——という。そこから一万トンの船に乗る。瀬戸内を抜け、九州の門司からさらに南へ——と、海の旅が続く。

千枝子さん達が、銀座尾張町でシャッターを押していた頃、淡路さんを乗せた船は、ようやく台湾の港に入ったらしい。

婚約者の動静であるだけに、千枝子さんはきちんと知らされていた。

「予定が——変わったんじゃありませんの？」

「いいえ。会社の大切なお仕事があるそうです。年が明けるまで帰れないとおっしゃっていました。現に、しばらくしてあちらからのお手紙も着きました」

「だとしたら、——他人の空似としか考えられませんわね」

千枝子さんは首を振る。

「でも……着ている服まで、見覚えのあるものなのです。……それに幾ら何でも、ここまで似るとは考えられません」

婚約者がいうのだから説得力がある。

「——その時、そこに淡路さんが見えたのですか？」

「いいえ。全く気がつきませんでした」

これが最初の一枚だという。お店を出るなり八重子さんの弟が、姉をモデルにして撮ってみせたらしい。千枝子さんは、写真術を習う生徒として、その様子を見ていた。注視していたのだ。被写体の背後に顔見知りが現れたら、気づかない筈がない。

千枝子さんは、現像されたフィルムまで持って来ていた。白黒逆転してはいる。だが、謎の人の姿ははっきりと分かる。細工をしたような跡はない。

相手の顔色を見ると、《貴女のことが気になるから、はるばる姿を見せに来たんじゃありませんか、羨ましい》などと――うかつな軽口は叩けない。

千枝子さんは、おずおずと、

「離魂病（りこんびょう）……などといいますわね」

以前、兄とやり取りしたドッペルゲンガーの話になりそうだ。だが、こちらは伝説でも映画でもない。千枝子さんはわたしの眼の前にいる。そして、現実の問題として話しかけてくる。

ぞくりとした。

こんな奇怪なことで、くよくよ悩んでいる時、不意打ちのように、あの能面が現れたらどうか。わたしでも気を失うかも知れない。

――出たっ！

と思って――である。

そこで、ずんとばかりに倒れる姿を、わたしに見られた。だからこそ、千枝子さんも事情を打ち明ける気になったのだ。

相手が特別な人となると、これは案外、深刻な話である。今後の結婚生活に影を落とすかも知れない。何とかうち沈む心を軽くしてあげたい。

とにかく努めて明るく、いうしかない。

「もう一人の淡路様がいるなら、銀座でお姿を見せたでしょう？　写真にだけ出て来るというのも、妙ですわ。――ほら、写真って、角度や光の具合で本人と違って写ることも多いでしょう。《美人に撮れてる》とか、《これは、ひど過ぎる》とか、皆さん、よくおっしゃる。――だからね、今度もそういうことじゃないかしら。見た目には似ているとも思えない通りがかりの人が、たまたまそっくりに写った。つまり、レンズの悪戯。――それだけのことよ」

千枝子さんは、納得のいかない顔をしている。

「でも、お洋服が……」

「東京の銀座です。紳士なら一杯、行き来していますわ。淡路さんの年頃の方も大勢いらっしゃる。ファッションには型があるでしょう。同じ背広を着た方が歩いていても不思議はない。――ほら、パーティの時、同じ布地のドレスで鉢合わせして、いたたまれなくなる――なんて話もあるでしょう」

そんな実例があるのかどうか知らないが、この辺はまあ、嘘も方便というやつだ。

釈然としないながらも千枝子さんは、とにかく胸につかえていたことを人に話せてよかったようだ。来た時よりは落ち着いたお顔になった。

18

その夜、雅吉兄さんとまたドッペルゲンガー談義をした。

「芥川の小説も読んだわ。その神秘について、あれこれ書いてるやつ」

「う、そうか」

「こんな例もある——とか、色々あげてたけど、本で読んだわけでしょ。やっぱり実体験の方が印象に残るわね」

「ほう」

情けない合いの手が入るだけなのは、多分、忘れているのだろう。

実体験というのは、兄に借りた芥子色の表紙の本——『文芸的な、余りに文芸的な』に載っていた。

まず、『凶』という短文にあったのは、ドッペルゲンガーというよりは、光学的な自然の悪戯である。大正十四年の夏、築地の待合で食事をした時のことだ。右に久米正雄、左に菊池寛がいた。

芥川がふと餉台(ちゃぶだい)の上のビール瓶を見ると、自分の顔が映っていた。しかし、その映像は、目をつぶりやや上向きであった。一座の者にいうと、それぞれ芥川の席に座って眺めた。菊池も久米も《うん、見えるね》といい合った。それは、ビール瓶上の曲面に、周辺の器やら何やらが微妙に反射して結んだ偶然の像だった。——発見者芥川当人に似た形になったのは、たまたまである。

芥川は、ここに凶事の——具体的には死の予兆を感じている。

——これなど千枝子さんには、教えられない文章だ。何しろ、フィルムの上に婚約者の像を見たのだから。

この短文は《鵠沼にて浄書》と書かれている。

「鵠沼にいた時、芥川さんの精神状態は、あんまりよくなかったみたいね」

「そうかな」

「『鵠沼雑記』というのにね、ほら、こんなのがある」

兄に見せた。『凶』に続いて載っている文章だ。


僕は風呂へはひりに行つた。彼是午後の十一時だつた。風呂場の流しには青年が一人、手拭を使はずに顔を洗つてゐた。それは毛を抜いた鶏のやうに痩せ衰へた青年だつた。僕は急に不快になり、僕の部屋へ引返した。すると僕の部屋の中に腹巻が一つぬいであつた。僕は驚ひて帯をといて見たら、やはり僕の腹巻だつた。


芥川が、病的に痩せていたのは有名だ。

「《顔を洗っていた》――というところがうまいな」

「だから、表情まで見えないわけね。《僕がいた》とは、書いてない。体型が似ているだけかも知れない。そう思ったところで、部屋に帰ると……《腹巻》。この、眼に見える事実で《脱いで行った自分》を示す」

「うん」

「話としては、《自分》だったってことになるけど、どこまで本当なのかしら？」

「湯気の向こうに、同じ年頃の人を見たんじゃないかな。病的になってるから、それが、ドッペルゲンガーか――とも思えて、神経にピリピリさわった」

「じゃあ、《腹巻》は？」

「——うーん。そいつは勝手に脱げるわけはないし、——妙にリアルだよな」

「でしょう？　だから怖いわよね。そこまで書くってことは、少なくとも主観的には見たんじゃないかしら……ドッペルゲンガーを」

芥川は自ら命を絶っている。これもまた、《もう一人の自分》を見ることは不吉だ——という証しなのだろうか。

19

千枝子さんの件を相談出来るのは、ベッキーさんしかいない。

学校に向かう車の中で、細かく説明した。ベッキーさんは前を向いたまま、フィルムのことを聞いてきた。

「現像に出すと、フィルムは切られてしまいます。ばらばらに渡されたら、もう前後が分からなくなる。そこに、何らかの事情で——別の日のものが、混じった——わけではございませんね？」

淡路さんを撮ったフィルムが別に出されていて、混入した——という可能性だ。百万に一つの偶然だろうが、一応、完全に打ち消しておく。

「それはないわ。服部では、切ったネガを——何というか、透き通った小袋を綴じたようなものに入れてくれるの。写真用のファイルだわね。——大きさは、普通の八枚撮り用。——その一枚ずつが、袋に差し込まれる」

「はい」

「――オリムピックは同じフィルムで二倍、撮れるわ。――それが八枚撮りの大きさで切られてくる。つまり、一枚のネガに二画面が繋がった形で返ってくる」

「はい」

「問題の部分は最初の一枚。続く次の場面には千枝子さんが写っていた。だからね、その日、撮られたものに間違いないの」

ベッキーさんは、《なるほど》と頷く。ネガに数字など打たれていない普通のフィルムである。――ベスト・フィルムとかいった。切られたら、確証がなくなるところだ。――しかし、オリムピックの場合は違う。二枚一組で繋がっているのだ。当日の写真であることは、間違いない。フィルムの話が続くかと思ったら、ベッキーさんの問いは、思いがけない方向に向かった。

「その――有川様は、どんなお人柄でしょう？」

わたしは、ちょっととまどい、

「小松さんじゃなくて？」

当事者は千枝子さんだ。しかし、ベッキーさんは迷いなく、

「はい」

八重子さんの、こちらをうかがうようにして笑う顔が浮かぶ。

「まあ……普通のお方よ」

「さようでございましょうね。――ただ、ほんの少し――我が儘なところが、おありでは？」

わたしは、ちょっと驚いた。ベッキーさんは、有川さんに会ってなどいない。

「……まあ、そういえば少し、お嬢様っぽいところはあるわね」

「ははあ――」

ベッキーさんの帽子の頭が、わずかに傾く。言葉を選んでいるようだ。そして、こう続いた。

「――申し上げにくいのですが、その上に、よくいえば悪戯好き、悪くいえば――意地悪なところはございませんでしょうか？」

おやおや、と思ってしまう。

「さあ、それは答えにくいわねえ……」

ベッキーさんは、声で頷き、

「それで十分でございます」

「あら」

ベッキーさんの追及は続く。

「さてその上に、有川様はお金持ちでございますね」

「ええ」

大名華族中の名門の一つだから、おうちはかなり裕福である。

「欲しいものは何でも手に入る。お金があるのに慣れていらっしゃる。――そういう方でしょうか？」

「まあ、そうだわね」

お金持ちでも、質実をむねとしている家はある。八重子さんのお宅は、その点、華やかだ。この辺は家風の問題になるのだろう。

「——だといたしますと、どうなりますか——」

しばらく間があった。そろそろ青山口に近いかという頃、

「お写真の——淡路様のお姿というのは、二重写しではないのですね」

「いいえ」

宙にぼんやり顔が浮かんでいるような、おぼつかない二重像ではない。路上に立っている青年紳士の姿が、はっきり写っていた。

「……その辺から攻められるかも知れません」

「はあ？」

ベッキーさんは、独り言のように、こう続けた。

「小松様、有川様——お二人とも、弟御をお連れだったのですね」

20

師走の授業は、ただでさえ落ち着かない。そんな時、余計なことを考えていると、ますます先生のおっしゃることが頭に入らなかった。

——ああ、なるほど。

と、思えたのは、鈍なことに午後になってからだ。

ひゅうと鳴る風の中、《ごきげんよう》を交わして校門をくぐった。いつの間にか、オーバー

の季節になってしまった。学校では、ビロードの地や、毛皮を付けた華美なものは禁止だ。でも、それなりに個性を出す方もいらっしゃる。わたしは、見てくれより温かいのが第一だ。

——おお、寒い。

と思いながら、帰りのフォードに乗り込む。そこで早速、口に出したのは、勿論お天気のことなどではない。

「有川さんの弟さんだけをね、——小松のお宅におびき出せないか、画策してみる」

事態解明のためといえば、千枝子さんは全面的に協力してくれるだろう。

「さようでございますか」

相変わらず、ベッキーさんは冷静である。しかし、反対されないのだから、満更おかしな筋道でもないのだろう。

「弟さん同士が仲良しだといいんだけれど——」

「それだと話が早うございますね」

21

千枝子さんの弟さんは、小松悦郎(えつろう)君。八重子さんの弟さんが、有川道彦(みちひこ)君。

あの写真のシャッターを押したのは、有川家の道彦君——ということになっている。そこで、聞いてみたいことがある。

幸い最近、悦郎君が有川邸に遊びに行っていた。これなら、お返しの形で問題の彼を小松の家に呼ぶことが出来る。簡単な夕食会である。いうまでもなく、わたしも同じ日にうかがった。

小松子爵邸は、麻布のゆるやかな坂に沿って建っている。日本風の土色の壁の続いた先に門がある。その辺りには塀の内も外も竹が生えている。背後では、鬱蒼と茂った木々の頂きが灰色の空を掃いていた。

寒々とした冬こそ、室内ゲームには最適のシーズンだ。わたし達も一緒になって、コリントゲームをやった。小さな鉄球をはじくと、それが板の上を転がり落ちて来る。板には一杯、釘が打ってある。球は釘に当たってはコツコツとリズミカルな音を立て、落ちる向きを変える。どこに入るかで点数が違う。

単純な遊びだけれど、球の流れ方を見て、

――もう少し弱く、いや、強く。

などと、はじく力を加減する。うまく行ったり失敗したりしながら、歓声をあげていると、これはこれで、結構、熱中するものだ。

道彦君は、わたしや千枝子さんの五つばかり下になる。負けず嫌いなようで、かなり真剣にやっていた。うまくいかないと、こぶしを握り、八重子さんに似た口を突き出して無念そうな顔をする。一方、千枝子さんの弟さん――悦郎君はおっとりしていて、あまり口惜しがらない。

悦郎君には、途中でしばらく座をはずしてくれるよう頼んであった。

ゲームが一段落したところで、用足しにでも行くように、悦郎君が廊下に出て行った。わたしは、すかさずいう。

「――銀座のお写真、わたしも見せていただいたわ」

道彦君はソファの上できょとんとしている。一緒にゲームに興じた後とはいえ、初対面の《どこかのお姉さん》に馴れ馴れしくされたのだ。びっくりもするだろう。考えるひまを与えないよう、速射砲のように続ける。

「ほら、服部で千枝子さんのオリムピックを買った時の、——あれ。思いがけない写真があったから、色々と話の種になったのよ。八重子さんも、面白いこと考えたものね。でも、——あなたの協力がなかったら、うまくいかなかったでしょうねえ」

そこでわたしは天使のように、にこやかに微笑み——といっても天使に会ったことはないが、とにかく、そんな感じで聞いてみた。

「——お姉さんに、——撮るふりだけしろっていわれたんでしょ？」

道彦君は、押したものが机から落ちるように簡単に、こくんと頷いた。

「うん」

ふっと力が抜ける。千枝子さんは、脇で固唾（かたず）を呑んで見守っていた。

22

聞いてみると、もう一台のオリムピックは、道彦君のものになったらしい。八重子さんが、弟にプレゼントしたようだ。

——といっても、それだけ耳にしたのでは五里霧中（ごりむちゅう）だろう。

「結局、どういうことなんでしょう？」

千枝子さんが聞く。夕食会も終わり、道彦君も帰ったところで、事情を説明することにした。千枝子さんの部屋で二人だけになり、こっそり話した。

「離魂病というのも、あまりにロマンチックな解釈だと思いました。現代なら、もう少し論理的に説明出来るんじゃないかと――」

「はい」

と、千枝子さんはおとなしい生徒のように聞いてくれる。

「理屈で考えるなら、あの一枚は《淡路さんがまだ日本にいるうちに撮られたもの》――ということになります。だって、《淡路さんが写っている》んですもの」

千枝子さんは、ちょっと首をかしげた。

「……」

「――とすると、必然的にあなたがお持ちの写真機は、銀座に出掛けた――その日に買ったものではないことになります」

「あ……」

「人が手を出さなければすり替わったりはしません。誰かがやったとすれば、《誰か》は明らかです。あなたでもなく弟さん達とも考えにくい。とすれば、残った人でしかない」

「……」

「八重子さんは、あなたから写真機を買う相談を持ちかけられた。そこで、《ちょっと面白い悪戯》を思いついたのでしょう。おそらくは一週間ぐらい前にも銀座に出掛けたのです。淡路さんもご一緒に。台湾に長いこといらっしゃるのだから、ご親戚が集まって一席設けたのかも知れない。――その時、オリムピックを買った。三越でもいい。すぐ近くにオリムピックを専門に扱っているところもあるようです。とにかく天下の銀座です。どこでも買えます。そして、服部の前で自分の写真を撮ってもらったのです。――後ろに淡路さんも入るようにして」

シャッターはお付きの人か、一緒に行った誰かに押してもらったのだろう。

「――これで、一枚目に淡路さんの写った、新品のオリムピックが手に入ったわけです。後はもう簡単。オリムピックはかさばらない小型カメラです。手提げにでも簡単に入れておける。――当日、写真術の先生になった八重子さんは、買ったばかりの一台を手に、先に立って外に出る。撮影場所を探すふりをする。――服部の写真機売場は地下です。そこから階段を上がって、外に出るまでの間に、手提げの中の写真機とすり替えるぐらい造作もないことでしょう」

「ええ、ええ」

「いうことを聞かせられる弟を連れて行き、最初の一枚は、《カメラを向けるだけでシャッターを押さないように》と、いい聞かせておく。この前と同じところに立ち、撮影するふりをさせる。写真機を受け取ったら、フィルムを巻く。後ろの穴の表示を見て、次まで進んだところで止め、《じゃあ、今度はあなた》と――」

「……わたしを写す」

「はい。後は、普通に撮ったり撮られたりすればいいだけ」

ベッキーさんは《二重写しではないか?》と聞いた。そうなっていたら、《悪戯》はより完璧になっていたろう。何しろ、共犯者などいらなくなるのだ。

最初に買ったオリムピックの一枚目に、夜、淡路さんの顔だけを明るく撮っておけばいい。そしてフィルムを巻かないでおく。

すり替えた後の処置も自由だ。一枚目からどんな場所で撮ってもいい。誰に撮らせてもいい。

――いや、千枝子さんにレンズを向けるのが最も効果的かも知れない。

出来上がるのは、フィルムを巻き上げなかったために起こる二重写しの――ごく普通の失敗写真だ。例えば、千枝子さんの肩口に淡路さんの顔が浮かぶことになる。事実としては《ごく普通》でも、現像されたものを見た千枝子さんの驚きはどうか。――《普通》ではあるまい。

そこまで八重子さんは考えなかったのだろう。もし、そうされていたら《道彦君の証言》といった、具体的な証拠がつかめなくなる。淡路さんが帰るのを待って、聞くしかなくなる。

今回は幸い、簡単に解決出来てよかったわけだ。

「でも……、どうしてそんなことを……?」

わたしは、ソファに並んでいた身を近づけていった。

「だから、――ちょっとした悪戯。あなたがそんなに深刻に受け止めるなんて、お考えにならなかったのよ」

「………」

「だって、そうでしょう。淡路さんがお帰りになった時、あなたがちょっと話せば、《この写真は確か――》となって、種が明かされてしまうんですもの」

「それはそうね……」

「八重子さんは、あなたとも淡路さんとも、お親しいんでしょう。だから、軽い気持ちでやってしまったのよ。あなたがそんなに悩んだと聞いたら、――驚いて、あの丸い眼をもっと丸くするでしょう」

そういうと、千枝子さんは、ようやく少し微笑んだ。

帰りのフォードが、麻布の坂をゆるゆると下り出したところでいった。

「やっぱり、思った通りだったわ」

「さようでございますか」

と、前からベッキーさんの声が答える。

「そうとしか考えられないし、謎としたら簡単なものかも知れない。でも、それを難しくしていることがある。すり替えられたのが――写真機だということね」

「はい」

「おいそれと、別の一台を用意出来るようなものではない――それが、世間の常識ですものね」

「その通りでございます。すぐに思い浮かぶライカなど、一台――七百八十円もいたします」

「そんなに――」

若月さんという陸軍の将校さんと、偶然の機会に話したことがある。庶民は一食十銭で腹を満たすこともあるそうだ。一円で十食、百円で千食。七百八十円あれば、七千八百回、食事が出来る。

「先だって、ライカの三分の一のお値段で、ライカの性能――という国産品も出ました。それにしても、まだまだ高級品に変わりはございません」

一台買うのも、大変なことなのだ。

しかし、オリムピックは同じ写真機でも初心者向けの廉価版だ。十円以下で買える。有川さんのようなお宅で、《弟に買ってあげるから》とねだれば、用意するのは簡単だろう。

その理屈は思いつけても、実行出来る人はごく限られる。八重子さんなら、可能なのだ。

車は東京の闇を縫って進んで行く。ことは解決した——ようだ。

しかし、

——どうしてそんなことを……？

という千枝子さんの声は、遠い木枯らしのように耳に残った。

23

結婚——というなら、年末の新聞に慶事の紹介があった。桐原家のご長男、勝久（かつひさ）様が、これも大名華族中の名門高島家のご令嬢と結ばれるのだ。お式は春になるらしい。

一昨年、黒田侯爵家のお嬢様が、前田侯爵家にお輿入れになった。その時の嫁入り道具は、大型トラックで五十台。搬入するのに三日かかったという。今回の婚儀も、同じ程度の規模になるのだろう。

家柄が国持ち大名となると、ちょんまげ時代の藩との繋がりもある。あれやこれやに縛られ、何事も気まま勝手にいかない場合が多いようだ。自分が、大大名のお姫様で、家名を背負ってどこかに縁付いたら——と考えただけで、もう肩が凝りそうだ。思わず、ふうっと息をついてしまう。

さはさりながら、おめでたいことである。桐原家は美男美女の家系だ。勝久様は、やや冷たい相貌ながら、そこに若い軍人らしい凜冽（りんれつ）の気が感じられる。この知らせを聞いて、がっくりしているお嬢様方が、あちらこちらにいらっしゃるのかも知れない。

そうそう、社会面のニュースにはならないことだが、兄が、《へええ》と思うような情報を仕入れて来た。芥川龍之介の、例の――《腹巻》に関することだ。

「それが大笑いさ」

「どうしたの」

「あの時、芥川と鵠沼の旅館に泊まっていた人に会えてね。葛巻（くずまき）さんというんだ」

晩年の芥川の、側近くにいた人だという。大学で、その方を呼び、芥川について、あれこれうかがったらしい。

「皆、色々と質問したんだ。宗教的なことやら政治的なことやら。そこで俺は、挙手をして聞いたね。――《腹巻》の件を」

「まあ、嫌だ」

しかしながら兄さんには、似合っているかも知れない。

「そうしたらさ、あれは実話なんだって。――芥川先生が、あんまり痩せてたから、立ったところで、腹巻がするりと落ちた。先生は気づかず、そのまま風呂に行った。帰って来たら、座布団の上にちょこんと腹巻様がお座りになって、帰りを待っていた――と、まあ、こんなわけだ。怪談どころか、笑いの種だった」

「へええ」

これは意外だ。

「だとすると、風呂場のドッペルゲンガーはどうなのか——と思うだろ？」

「ええ、ええ」

「あれもね、実際には《痩せた青年》じゃあなかったそうだ」

「というと？」

「風呂に行くまでは、二人で陰々滅々たる話をしていたそうだ。ところが夜遅くなって行ったせいか、芥川先生、暗い階段を踏み外した。ころころ転げて、逆立ちみたいな妙な格好になっちまった。そこでまず大笑い。——それから、風呂の戸を開けたら、宿のおかみが入っていたんで、《おやおや》とまた笑いながら、部屋に戻ったそうだ。最後の締めの滑稽が、あの《腹巻》になるんだってさ」

「全然、違うじゃない」

短調の曲と長調の曲のように、色合いが全く別だ。

「ま、これが現実だ。——何の変哲もない種から、変わった花を咲かせる。作家なんてそんなもんだよ。——あんまり実生活を追っかけると、幻滅することが多いかもな」

兄はそういって笑い、わたしも、その時は同感だった。

だが、自分の部屋で一人になって思い返すと、段々と背筋の冷える思いになって来た。

芥川の書いた文章は、確かに事実とは全く違う。——そこに見えるのは何だろう。作家の、したたかな創作力か。しかし、これは《雑記》という形をとっている。小説ではないのだ。となればむしろ、事実が形を変えて芥川に擦り寄って来たのではないか。

芥川が翌日、この文章を書いたとすれば、その時、彼は《あった筈の昨日》を記録したのではないか。

　夜が遅いからもういいかと入浴していた宿屋のおかみの肉体が、わたしには次第に脂肪の照りさえ感じさせるものに思えて来た。無論、現実のその人が太っているかどうかなど知りようがない。

　だがわたしには見える、むっとする湯気の中の、でっぷりした体が。――湯玉の流れるそれを《毛を抜いた鶏のように痩せ衰えた青年》と書く心を、わたしは怖れた。

　多くの魔は、様々な形で、人の心の内に潜む。

24

　昭和十一年の新しい日は、晴れやかに昇った。年の初めにふさわしい、うららかな元日である。

　麹町のお正月の名物は、広い広い衛戍（えいじゅ）病院跡地での凧揚げだ。兄が紺絣の着物にちょこんと帽子をかぶり、やたらに大きな凧を持って出掛けていた頃は、わたしも後に付いて見物に行ったものだ。二人とも、吹き付ける新年の風に、頬を赤くしていた。指先から、出掛けに食べた蜜柑の香りがした。

　それも今は昔だ。いくらのんきな雅吉兄さんでも、もう凧は揚げない。思い出の中の空は、どこまでも青い。無限の広がりを埋め尽くすように、様々な形の凧が揺れている。

　堀端の広い通りを、高位高官を乗せた自動車や馬車が、次々に桜田門へと向かうのも一年に一度。今日のことである。宮城内正殿へと向かう参賀の列だ。

見て楽しいのは、燕尾服よりも胸に金モール、帽子に白い羽飾りのついた武官の大礼服だった。桐原家の当主の侯爵様も、陸軍中将だから、無論、その華やかなお姿で宮中に向かわれた筈だ。

わたし達は学校で、新年の祝賀式がある。送られるフォードの中で、去年いわれた言葉を思い出した。

「あらたまの年の初めには願い事をなさい——と国漢の先生がおっしゃったわ」

「よいことではございませんか」

と、ベッキーさんが受ける。

「でもね、先生は《願えば必ずかなうものです》とおっしゃったの、随分と無責任じゃないかしら」

「……さようでございましょうか」

「あら、だって、願い事なんて十に一つかなうかどうかでしょう。——簡単じゃないから、わざわざ、お願いするんですもの」

ベッキーさんは、少し間を置いて、

「……お嬢様。お嬢様とその先生では、どちらが年上でいらっしゃいます?」

「あら、おかしなことを聞くのね」

「先生の方が上ではございませんか?」

「勿論よ、もう、おじい様の先生」

「でしたら、様々なことを見ていらっしゃいます。《この世では、あれもこれも思いのままにならぬ》と知り尽くしていらっしゃるのでは?」

わたしは、ぐっと詰まった。ベッキーさんはいう。

「お嬢様がおっしゃったのは、失礼ながら、《いうまでもないこと》でございます。先生が、それをご存じないと、お思いになりますか？」

「……」

「別宮には、そのお言葉が多くの哀しみに支えられたものに思えます。——お若いうちは、そのような言葉が、うるさく、時には忌まわしくさえ感じられるかも知れません。——ですけれど、誰がいったたか、その内にどのような思いが隠れているか、——そういうことをお考えになるのも、よろしいかと存じます」

わたしは一言もなく、頷いた。

紬の紋付に海老茶の袴をはいて、講堂に並ぶ。この日は祝い菓子が配られる。それを縮緬の小さな風呂敷に包んで持って帰るのが、式日の楽しみだった。

帰りがけ、道子さんがつっと寄って来て、

「今晩、およろしいわね」

と念を押した。前以てのお招きがあったのだ。

「ええ」

我が家にも、父の会社の関係者などがやって来る。だが、名門中の名門、桐原侯爵邸への年始客となると、想像を絶する数だろう。

宮中参賀から帰られたところで、今度はそのお迎えとなるわけだ。各国の大使、官僚や軍人が列をなす。国持ち大名の華族様だから、お国元の関係者もご挨拶にうかがう。

そんな日に行っていいものかと心配になる。正直にそういうと、道子さんは、植え込みの方に誘い、小声でいう。

「今日だからなの。実はね、お目当ては、あの運転手の方なの」

「――別宮？」

「ええ。兄がね、あの人と話しておきたいというの」

「まあ――」

「このところ、公私に何かと忙しくて……。でも、さすがに今日なら、少しは体を空けられそうなの。この方を、利用するようで申し訳ありませんけれど……」

「それは一向にかまいませんが――」

勝久様が、ベッキーさんに興味を持っていることは聞いていた。初めて二人が会ったのは、早いものでもう三年半ほど前になる。

その興味が、仮に映画に出て来るようなロマンチックなものであったにしても、世間的に見ればまともに言葉を交わせないだけの身分差がある。

ちょうどトラファルガー広場で、百四十七フィート上の記念塔の高みにいるネルソン提督像が、道端で餌をついばむ雀に声をかけるのに似ている。言葉は、とても届かない。

「会ってどうこうということはない、ただ、小半時でも言葉を交わしておきたいそうなの」

道子さんは、そこで眠そうな眼をパチパチさせ、注釈を付けるようにいった。

「……あれでなかなか、可愛いところがあるでしょう？」

25

話したいという、勝久様の意向を伝えると、ベッキーさんはやはり困った顔をした。

「三十分でいいそうなの」

初めて会った夏、勝久様とベッキーさんは射撃の勝負をした。あれに要したのも、半時間ぐらいのものだろう。

道子さんが間に入っているだけに、無下には断りにくい。

「――お願い。わたしも、ついているから」

ベッキーさんも、わたしの懇願に折れて、

「それなら別宮も心丈夫でございます」

だが、二人の対話は、わたしが心のどこかで期待したようには始まらなかった。帝国陸軍参謀本部の軍人が、まして婚約の整った、ご身分ある方が、ベッキーさんに甘やかな言葉などかける筈はない――それは分かっていたのだが。

夜、指定された時間に白金台に着く。大人の新年会と子供の新年会は別の日になる。だから今まで、この日に桐原邸に来たことはなかった。予想通り、大変な混雑だ。

車種と番号を見て、書生さんが導いてくれる。国家の迎賓館としても使われることの多い広壮な本邸の、どの窓からも煌々たる明かりが流れ出ている。楽の音が響き、軍人らしい放歌高吟の声も聞こえた。

ベッキーさんは本来なら、わたしと別れて供待ち部屋に向かうところである。だが、心得ているらしい書生さんが二人を一緒に、先導して行く。

木立の陰を抜け、離れの洋館に向かうと入口で道子さんが待っていた。紋付の大振袖だ。

——ごきげんよう。

と、どちらからともなく挨拶を交わす。そこからは道子さんが先に立ち、奥の部屋に通された。壁には唐草模様の繻子（しゅす）が美しく、窓から夜の池の面（おもて）が黒々と見えた。冬はあまり使わない部屋なのか、暖房のため、急に運んだらしい不似合いな大火鉢が置かれ、赤々と炭がおこっていた。

わたし達がソファに腰を下ろしても、ベッキーさんは立っている。道子さんが勧め、ベッキーさんが固辞しているうちに、ドアが開いた。勝久様だった。今日は軍服の正装である。ベッキーさん立ち上がって礼をする。勝久様は、そのまま座らず、道子さんの後ろに立った。ベッキーさんと対峙する形である。

わたしがいった。

「お忙しいでしょう」

「いや、今日は酔ったふりをしているのが仕事です。下手な剣舞などもして見せねばならない。まるで動物園の猿です」

——その合間を抜けてやって来たという。次の言葉も、わたしに向けて発せられた。

「——お嬢さん。昨今の世情をどう思います」

「は？」

「いささかは明るくなったと、お思いになりませんか」

「はあ……」

ブッポウソウが人里近くで鳴くと凶作――という言い伝えを聞いたが、何と去年の夏には、帝都の上をその深山の鳥が鳴き渡るという怪事があった。あり得ないことだ。

禍事(まがごと)の起こる前兆かと、ふと心が慄(ふる)えた。しかし、前年の不作に比べると農業の方も持ち直し、景気はかなり上向いているらしい。もっとも、その《景気》も、わたしには漠然とした《気分》という意味でしかとらえられないのだが。

そこで勝久様は、ベッキーさんの方を向いた。

「なぜ、世の中が活気づいたのか?」

ベッキーさんは、黙って勝久様を見返した。うちの家紋の記章のついた帽子を胸に抱えている。最初に二人が会った時も、互いに制服だった。

勝久様は自答した。

「あなたの嫌いな、拡大主義と戦争のおかげだ」

パチッと小さな音を立てて、炭がはぜた。

「……」

「戦さは明るいものだ」

七五三の写真は、例年、微笑ましいものとして報道される。昨年は、例年になく軍服の子が目立ったそうだ。親が、紋付袴よりもその姿に夢を託したのだ。小さな子供達があるいは陸軍大将、あるいは海軍提督の扮装をし、きらびやかな勲章を飾って、玉砂利の上を歩いていた。

「――そうでなければ戦うことは出来ない。それを求める者がいるから、戦さは続く」

わたしがいった。

「求めるのは、軍人さんではないのですか」

「おおまかにいえばそうでしょう。うちの父などは、消極主義だといわれ、このところ冷や飯を食わされています。そういう者もいる。だが、――おっしゃる通り、軍人の仕事は戦さです。子供っぽくいうなら、武器を持ったら使ってみたくなる、それが人情です。――しかし、軍人ばかりではない。分かりやすいところでいえば財界だ。空前の儲けの機会と算盤をはじいている。――振り返れば、かつての金融恐慌の際、財閥、銀行は私利私欲のために動きました。己の利益を守るために汲々としたのです。《それでは国益が損なわれる》と、いかに切歯扼腕しても無駄でした。蔵相が、汲々としたのです。――国策に沿い、しかも儲かるとなれば、こんなうまい話はない。――アメリカに出てこられたら困る。だが、そうならない限りは戦さが続いてほしい。これが財界の意志でしょう。結果として、景気がよくなれば誰もが喜ぶ」

「それは、……ご批判ですか？」

「いや、そういうものだということです。大きくは国家から小さくは一個人まで、人はその利益を考えて動く。――今の青年にとっては、例えば軍務局長の暗殺という国家を揺るがす事件よりも、自分の就職口が決まるかどうかの方がはるかに重大な問題でしょう」

そこで、ベッキーさんが口を開いた。

「……失礼ながら、あなた様ご自身のお考えはどうなのでございましょう？」

「わたしの答えは、自分は軍人だ――ということになる」

「戦さこそ、文化文明の父であり母であるとお思いですか？」

陸軍の立場を語るものとして、そういうパンフレットが出て話題になったことがある。

「それは難しい問題だ。ただ、国は今、内に大きな苦しみを抱えている。それを解決する手段として……」

勝久様は、言葉を切り、整った唇を少しの間、嚙んだ。そして、

「……軍人には、現実的な効果を生むものが見える。あなたの嫌いなことだが、それはもう、どうすることも出来ない」

「戦さが生むものは、他にも色々とあります」

勝久様は、しばらく瞑目した。やがて、その眼を開いていった。口調が、それまでベッキーさんに向けていたものと違う親しいものになっていた。

「それは――分かっています。明るく戦さに向かう時、人にはそれが、不思議なほど見えなくなる。だが、あなたには信じていただきたい。――わたしには、分かっています」

「それでも……他に道はないとお考えなのですか？」

「国家という大きな機械がそれを望んでいるのです」

言葉は、一つの別れの挨拶に聞こえた。ベッキーさんは、じっと勝久様を見つめた。勝久様はいう。

「――軍の形さえ整えば、ことは一気に進むでしょう」

「……形？」

勝久様は、ふっと眉を寄せた。

「いや、つまらぬことをいいました」

ベッキーさんは、変わらぬ口調で、

「——伺うのは許されぬことでしょうが、わたくしは常々、疑問に思っておりました」

「ほう、何でしょう?」

「このところ起こることを外から見ておりますと、軍にはあなた様のような現実派の方と、一方、そうでない方がいらっしゃる。共に星の印を戴きながら、それが互いに……」

ベッキーさんの頭に、わたしとの《写真の事件》のやり取りがよぎったのだろう。こう、続けた。

「……武器を構えたドッペルゲンガー同士が互いを見るように、血相を変えて、睨み合っていらっしゃる」

26

勝久様は眉を寄せた。

「それは縁起の悪い譬えですね」

ドッペルゲンガーは、滅びを連想させる。

「申し訳ございません。——しかし、現実派の方には、一方の動きがより深く読めるような気がするのです。それなのに、暗殺の刃が跳梁(ちょうりょう)し過ぎている。肥大するものを押さえようという意志がおありになるのか。それとも、まさか……」

「——まさか?」

「何らかの……ことが起こるのを、お待ちではないのか。後の先のごとく、相手が立つ時こそ、相手を……」

勝久様は、さっと手を出してベッキーさんの言葉を止めた。そして、いった。

「わたしは酔っています。――今、あなたが何をいったか、聞こえなかった。よろしいですか、そのようなことは、決して――決して口に出すべきではない」

だがそこにはとがめる以上に、賛嘆の調子が含まれていた。

「口が過ぎました。――しかし、万が一そうなれば、あなた様のおっしゃる軍の《形》が整ってしまうのではありませんか。そうなったら、大きな機械はどうしようもなく動き出してしまうのでは？」

ベッキーさんの声は悲痛なものだった。勝久様は、静かに受けた。

「誰がどうするのでもない。歴史の必然がそうであれば、――そうであるように動くだけです。我々の手など、何ほどのものではない。だが、あなたの眼は、思った通り普通のものではなかった」

ベッキーさんは、うつむいた。

「見えたところでなんになるでしょう。今のわたくしはただ、欲しいものが何であれ、命を、まして他人(ひと)の命をもって贖(あがな)われる世ではなくなることを――願うばかりです」

「今、あなたとわたしは河の反対の岸に立っている。それが残念です。――ただ、その眼を持ったあなたに、聞いておきたいことがある」

「何で……ございましょう？」

「大き過ぎる機械が動き出せば、それは人の手で制御出来なくなる。それ以上進めば奈落の淵というところへさえ進むかも知れない」

「はい」

「それを思うと、たまらない怖れを感じます。わたし個人の死など何ほどのものでもありません。――だが、それを越えたものの崩壊を思うと、無限の怖ろしさに身もすくむのです。そういう時、かつてあなたのいった一句を思います。あれを、あなたはお信じになれるのか――と」

「何のことでしょう？」

「――善く敗るる者は亡びず」

ベッキーさんの引いた『漢書(かんじょ)』の一節だ。帝都のうちとは、そしてまた新年の宴の喧噪が間近にあるとは思えぬ静けさが、部屋に降りた。

ベッキーさんはいった。

「はい、わたくしは、人間の善き知恵を信じます」

勝久様は、まるで護符をいただいたかのような表情で、そっと頷いた。

27

帰りの道で、車はガソリンスタンドに寄った。青い制服のガソリンガールが出て来る。ベッキーさんが、何ガロンという。

向こうは、お抱え運転手が女なのに一瞬びっくりしたようだ。職業柄、すぐに驚きを消し、きびきびと答える。

「かしこまりました」

夜の闇を背景に、明かりを受けた給油機の朱色がくっきりと浮かんでいる。ガソリンガールはポンプを取り、車のタンクに繋ぐ。

「女も、色々な仕事をやるようになったわね」

「さようでございますね」

「ベッキーさんは、あんな機械を扱えるの？」

「給油機でございますか？」

「ええ」

「ガソリンのポンプぐらいは扱えます」

わたしは、感嘆していった。

「ベッキーさんて、本当に何でも出来るのね」

わたしの言葉を耳にしながら、ベッキーさんは珍しく黙っていた。頭を下げる青い制服に送られてガソリンスタンドを出る。

しばらくして、ベッキーさんがいった。

「お嬢様。——別宮が、何でも出来るように見えたとしたら、それは、こういうためかも知れません」

「はい？」

ベッキーさんは、低い声でしっかりと続けた。

「いえ、別宮には何も出来ないのです——と」

「……」

「前を行く者は多くの場合——慚愧（ざんき）の念と共に、その思いを嚙み締めるのかも知れません。そして、次に昇る日の、美しからんことを望むものかも——。どうか、こう申し上げることをお許し下さい。何事も——お出来になるのは、お嬢様なのです。明日の日を生きるお嬢様方なのです」

わたしはヴィクトリア女王ではない。胸を張って《I will be good》と即答することは出来なかった。

だが、この言葉を胸に刻んでおこうと思った。

28

一月中も粉雪が舞うことはあった。二月に入ると舞うどころではなく、交通が途絶し学校が臨時休校になるほどの大雪が降った。

日比谷公園の名物、鶴の噴水も凍ってしまい、お堀も厚い氷に覆われた。鴨の群れも寒そうに、石垣の下に固まっている。

下旬になると、さらに白いものの降る日が続いた。

雪を見ると、偶然の出会いをした陸軍の将校さん——若月英明（ひであき）さんのことを思い出す。若月さんからは、軍人さんにふさわしくないもの——詩集をいただいたことがある。山村暮鳥の『聖三稜玻璃』。美しい本だ。

その巻頭に『囈語』という詩があった。

竊盗金魚
強盗喇叭
恐喝胡弓
賭博ねこ

といった具合に、犯罪の名と、それとは繋がりそうもなく、それでいて微妙に頷ける単語が続けられていた。

その一行に、

騒擾ゆき

というのがあった。国を騒がすことに、雪が繋がるのは、理屈からいけば桜田門外の変を連想させるからだろう。安政の昔の大事件だ。今でも、九十近くなったご高齢の方は、大雪の日になると空を見上げ、

——あの日も、こんなだった。

というらしい。

そういう知識を越えても、《騒擾ゆき》という繋がりには頷けるものがある。ことに大きな雪

片がとめどなく、あわただしく狂い落ちる様子は、のどかな雪見——などという風情から遠いものである。

寒気にやられたせいか、わたしはすっかり風邪をこじらせてしまった。いつもは元気に上る階段の一歩も重く感じる。

「どうした、英公、休め休め」

と、兄さんがいってくれる。学校は嫌いではないが、キツネのようにコンコンと咳が出る。これは寝ていた方がよかろうと、終日ベッドで過ごすことにした。

部屋は冷たいが、掛け布団をわずかに上げると、体と布団の間から、熱の気配を帯びた空気が喉に上がって来る。

寝ていると雪の舞いでも見たくなるが、その日から薄曇りになった。汗をかき、着替えに身を起こす時には、外の雪景色が眼を慰めてくれる。

丸一日寝ると、大分よくなった。お芳さんが、林檎を擂(す)って持ってきてくれた。甘酸(あまず)っぱくておいしい。翌日は、空にお日様も顔を出した。気晴らしに新聞を持って来てもらい、ベッドで読んだ。《流言蜚語と怪文書横行》とある。《「高橋蔵相が〇された」》などという噂が流れたそうだ。〇は伏せ字だが、《殺》としか考えられない。物騒な話だ。

午後には、日の光で緩んだ屋根の雪が、ずずずと滑って落ちる音を聞いた。

そろそろ、温かい格好をして本でも読んでみようかと思っていると小包が届いた。わたし宛てである。

誰から来たものかと、書かれた律義な文字を見た時、はっとした。

——若月さんだ。

「お解きいたしましょうか」

と、お芳さんがいった。

「自分で開けるわ。鋏だけ持って来て」

本だということは手触りで分かった。厳重な梱包を開くと、案の定、詩集だった。薄田泣菫（すすきだきゅうきん）『白羊宮（はくようきゅう）』、三木露風『廃園』、北原白秋『邪宗門』の三冊だ。

そっけないほど簡単な手紙がついていた。——手元に残していた三冊だが、処分することになった。売ったり、読まぬ人に譲ったりするのも、本に可哀想な気がするので貴女に送る。突然のことで、大変失礼なのは分かっているが、受け取ってもらえたら嬉しい。

こういう意味のことが書かれていた。

ベッドの檻に閉じ込められ、何か読みたいと思っているところに届いたので、やさしく手を差し伸べられたように嬉しかった。身内が熱くなり、下がりかけた熱がまた上がるようだ。

おかげで、午後は退屈とは無縁に過ごすことが出来た。若月さんは、同じ将校でも陸軍大学校を出たような選ばれた人とは違う——といっていた。乏しいお金の中から、やりくり算段をして集めた本の一部かも知れない。そう思いながら、それぞれの表紙を撫で、気がつくと気持ちよく眠りに落ちていた。

夕食は厚着をして起きて行き、食堂で柔らかいものを食べた。闇の訪れと共に、また雪になった。

ベッドに帰ると、窓の外の空がごうっと鳴っている。子供の頃に聞いた、『西遊記』の話を思い出した。金角銀角（きんかくぎんかく）という魔物が出て来る。彼らは魔法の瓢箪（ひょうたん）を持っている。それを向けて敵の名前を呼ぶ。うっかり答えると、瓢箪に吸い込まれてしまうのだ。そして体は、徐々に溶けていく。これが怖かった。

どういうものか今でも、闇夜に空が鳴るとあの瓢箪のことを思い出す。大きな黒い何ものかが、地上に向かって呼びかけているような気がするのだ。

答えた者は、底知れぬ闇に吸われて行く。

29

夢かうつつかという中で、あれこれ考えてしまった。

軍人さんが——若月少尉が、身の回りのものを処分しようというのは、所属する隊が移動するのかも知れない。いや、しばらく東京暮らしが続いていたのなら、それはごく自然なことだ。

今までも格別、近しかったわけではない。だが、半ば眠りの中にある時、心は思いがけないほど不安定になるものだ。若月さんが、兄のように身近な人に思え、その人が去ることが哀しくてならなかった。

そこからは、完全に夢の世界に入っていた。雪が降り続けている。白い世界の中に、梅若万三郎の舞う鷺の姿が浮かんだ。舞台の上のシテは、いつもはかぶらない面をつけている。ふと見ると、舞台の床は消え、万三郎は宙にいる。夢の中のわたしには、それが不思議ではない。不思議なのは別のことだ。

無邪気に空を走って駆け寄ると、白い人に向かっていう。

——どうして、そんなものをかぶっていらっしゃるの？

舞う人は、動きを止めぬまま面をはずす。

——ああ、やはり……。

わけがわかって、わたしはにっこりする。その人は——若月さんだった。見てしまえば、納得し、その筈だと思った。

——分かっていたのです。

わたしは、誇らしげに囁いて擦り寄り、若月さんの動きにあわせて袖を上げる。いつの間にか白い装束になっていた。二人は、共に舞った。どこまでも降り続く雪が、わたし達を覆った。限りなく静かだった。

あまりの静寂に気が付くと、わたしは一人ぼっちだった。雪は、——どこまでも続く鷺の羽になっていた。

そこで、目が覚めた。わたしは涙さえ流していた。おかしなことだと思った。

外の天気は相変わらずだが、暗いなりに朝にはなっている。現実の世界に戻れば、それなりに現実的なことを考える。

——これだけ頂き物をしたんだもの、お返しをさしあげても変ではないわ。

どこに行っても身に付けられて、実用的なもの——というと真っ先に腕時計が浮かんだ。若い男の人に差し上げるのには、どれぐらいのどんなものがいいか。これは羞ずかしくて兄にも聞けない。

――服部時計店に電話すればいい。

電話なら、顔を見られることもない。お客様の質問になら親切に答えてくれるだろう。

――実際に贈るのには勇気がいる。でも、まずそこまではやってみよう。

そう思うと、胸が高鳴った。

枕元の体温計を取り、熱を計ってみる。今日もまだ完全には熱が下がっていない。外は、相変わらずの雪だ。続けてお休みすることになった。

朝食を終えた後、ベッドの中で時計の針が進むのを待った。

時間の歩みが遅いように思えて仕方がなかった。九時になったところで、そろそろいいかと、肩に毛布をかけこっそりと電話室に向かった。こそ泥のような足遣いになる。

重い電話番号簿を取り上げ、《ハ》のところを開く。

服部貞蔵、服部トミ……と指をずらして行く。服部時計店は、京橋56局の２１１５番だ。誰かに見られたくない。学校を休んで何をしているといわれたら面目ない。幸い、都心だから自動電話の範囲だ。交換手を呼び出す必要はない。

下から責めて来る冷気のせいもあって、余計、指先が慄える。ダイヤルを回して、黒い受話器をしっかりと耳に当てた。ツーツー、カチャッと繋がる音がした。電話に出たのは若い男の人だった。

「はいっ」

「朝早くから失礼いたします。服部時計店さんでしょうか」

だが相手の反応は意外なものだった。

「いえ、こちらは……」

いいかけて相手は絶句した。わたしも、電気に触れたような何かを感じた。だが、そんなことはあり得ない。あり得ない。

ややあって、声はいった。

「まさか……、花村英子さんでは……」

なぜ分かるのだ。数年の間、二度会っただけのわたしの声が、しかもこの雪の日の電話を通して。

——あなたはどなたですか？

と、わたしは聞き返さなかった。

風雨や豪雪の日、受話器を通した声は聞き取りにくくなる。電話線が影響を受けるからだ。声の色は定かではない。だが、それでも物言いの抑揚に、今、思っている人の姿が重なった。

「若月さん……」

どういう奇跡なのだろう。なぜ、そこにあの人がいるのか。店員でなく、なぜあの人が受話器を取るのか。

「やはり……」

そこで声が雑音に紛れ、聞き取りにくくなった。引いた波が寄せるように、音がまた安定してきた。

「どうして、服部にいらっしゃるのですか？」

若月さんは答えた。

「ここは服部時計店ではありません」

「え……？」

「……こんなこともあるのですね。この世では何でも起こるものだ」

「……はい？」

一語一語、大切なものを運ぶように、確かにゆっくりと、若月さんはいった。

「あなたの声が聞けてよかった。……長話は出来ません。これで切ります。武運長久を祈って下さい」

そこで電話が切れた。熱がわっと上がるような気がして、めまいがした。

——夢？……まだ夢を見ているのだろうか。

しばらくして、試してみるべきことに気が付いた。寒気に負けまいと、毛布をぐっと巻きなおす。そして改めて、間違いのないよう、一つ一つ確かめながらダイヤルを回した。

今度出たのは、実直そうな中年男性の声だった。

「——はい、服部時計店でございます」

聞かぬ先にそういった。わたしは、息をつき、後は一気に聞いた。

「つかぬことを、おうかがいいたします。そちら様と勘違いして電話するような、——そして、軍人さんのいらっしゃるところはどこでしょうか？」

実におかしな問いだ。分かりにくいだろう。しかし、様々な応対に慣れた声が、親切に答えてくれた。

「間違い電話でございますね」

「はい。今、そちらのつもりで掛けましたら、別なところに繋がったのです。知った方が、お出になったのですが、途中で切れてしまいました」

「さようでございますか。それは、お困りですね。番号が似ていると、よくいわれますのは、——首相官邸でございます」

30

常連客が、電話注文などをしようとして掛け間違え、後でぼやくという。——《とんだところにかけてしまった》と。

わたしは礼をいって電話を切り、あわただしく番号簿をめくった。《シュショウカンテイ》では出ていない。思いついて、《内閣》で引いてみた。内閣官房会計課は和田倉門内、官房総務課は宮城内、内閣書記官室は内幸町——と並んでいる。

そして、麹町区永田町には、

——総理大臣官舎！

がくがくと膝が慄えた。我が眼で見ても、今日は細く白い指先が数字の列を突いた。

銀座57局２１１５番。

——指が、一つ下に滑ったのか……。

服部時計店は、京橋56局２１１５番。わたしは電話機のダイヤルの、丸い列になって並ぶ数字を見た。左の端に、上下に並んだ6と7を。

――若月さん。あなたはどうして、そこにいらっしゃるの？

武運長久を祈って下さいという言葉が耳に響いた。

「お嬢様っ！」

外から声が掛かった。お芳さんだった。わたしは、ふっと力が抜けそうになった。

「何をしていらっしゃるのです。こんな日にっ！」

電話室の戸が開けられた。支えられるようにして、廊下に出た。

窓の桟の上は勿論、垂直の硝子の面さえ粉砂糖を吹き付けたように白く飾られていた。見通せる透明なところから、大渦のように旋回しながら宙を流れて行く雪が見えた。

――いつか、遠い昔にこういう眺めを見た。

そう思った。それは不可解な、幻の記憶なのだろう。

だがこれから自分は、この冷え冷えとした白い窓を、いつまでも生きた思い出として抱いて行くのだろうと予感した。

その年、昭和十一年。――二月二十六日のことだった。

参考文献（作品中で触れたものは除く）

『女子学習院五十年史』女子学習院
『ある華族の昭和史』酒井美意子（講談社文庫）
『私の東京物語』朝吹登水子（文化出版局）
『私の軽井沢物語』朝吹登水子（文化出版局）
『東京山の手昔がたり』木村梢（世界文化社）
『野上彌生子全集　第Ⅱ期第三・四・五巻　日記3・4・5』野上彌生子（岩波書店）
『昭和・平成家庭史年表　増補　1926→2000』下川耿史・家庭総合研究会（河出書房新社）
『震災復興〈大銀座〉の街並みから・清水組写真資料』銀座文化史学会
『日本野鳥記　世界ノンフィクション全集12』小林清之介（ぎょうせい）
『明治・大正・昭和　華族事件録』千田稔（新潮文庫）

「不在の父」の軸となった出来事は、この書中の「男爵松平斉の失踪」によるものであり、それにわたしの創作を加えた。

元になったのは、《東京帝大理学部に入学して植物学を学ぶ》男爵松平斉が、ある顕官の到着でざわめく玄関から帝大に向かおうとして姿を消し、そのまま行方不明になったという事件である。失踪動機として考えられるのは、松平家の爵位を上げてもらいたいという希望があったところに、弟の自分が男爵位をもらったことで《兄や旧臣との間でますます複雑な立場におかれた》ことぐらいだという。

この、まさに《探偵小説にもあるまじき奇怪なできごと（親戚の蜂須賀年子談）》を知った時、強く心を引かれると同時に、自分なりに物語化したいと思った。

実際の事件に発想の原点があるので、その部分は出来る限り残した。ただ現実の事件は明治のことで、顕官は馬車で到着し、若殿を送る役は人力車夫だった。これは共に自動車にした。また、現実の斉は男爵、兄は子爵であるのを、作中の滝沢兄弟は伯爵、子爵とした。さらに、失踪した父の、子供の年齢も実際とは違えてある。

その上で、現実の謎に対する形で、失踪の方法と動機についての物語を書いた。

「松平斉事件」に触発されたものではあるが、いうまでもなくこの内容は、滝沢家の人々の人物像をはじめとして、作者の創作である。《真相はこうだ》などというものでは全くないことをお断りしておく。

参考文献

『東京百年史』東京百年史編集委員会・東京都（ぎょうせい）

『昭和の東京』石川光陽（朝日新聞社）

『東京都市計画物語』越澤明（ちくま学芸文庫）

『名作歌舞伎全集　第十九巻』（東京創元新社）

『旧制中学入試問題集』武藤康史（ちくま文庫）

『文芸年鑑　一九三六年版』（第一書房）

『株式会社三越100年の記録』（三越）

『大三越歴史写真帖』（大三越歴史写真帖刊行会）

『東京国立博物館　目でみる120年』（東京国立博物館）

『上野繁昌史』『上野繁昌史・続』（上野観光連盟）

『上野公園ものがたり』（東京都公園協会）

『こんなに面白い上野公園』林丈二・丹尾安典（新潮社）

『写真にみる昭和浅草伝』（浅草の会）
『江戸ッ子と浅草花屋敷』小沢詠美子（小学館）
『メトロ誕生』中村建治（交通新聞社）
『東京の戦前　昔恋しい散歩地図』アイランズ編著（草思社）
『震災復興大東京絵はがき』近藤信行編（岩波書店）

『徳川慶喜家の子ども部屋』榊原喜佐子（角川文庫）
『倫敦』長谷川如是閑（政教社）
『証言――日本洋楽レコード史（戦前編）』歌崎和彦編著（音楽之友社）
『能楽随想　亀堂閑話』十二世梅若万三郎（玉川大学出版部・復刊）
『昭和能楽黄金期　山崎有一郎が語る名人たち』山崎有一郎・三浦裕子（檜書店）

雑誌『能楽』
ビデオ『ＮＨＫ能楽特選　名人の面影　第九巻』
『京都の御所』石川忠（講談社原色写真文庫）
『芥川龍之介全集　第5巻　月報五・昭和三十九年十二月』（筑摩書房）

……この月報に載った「東屋での数日」という葛巻義敏の文章中に、芥川と鵠沼で過ごした時のことが書かれている。夜中に風呂に行き、おかみが入っていたので帰ったこと。部屋に戻ると、芥川の腹巻が落ちていたこと――などである。学生時代に読み、その《事実》を芥川の『鵠沼雑記』と比べた時の落差が印象深く、四十年経っても忘れられない。現在も、その月報だけは保存してある。ここでは、それを、雅吉が大学で聞いたこととして書き、作中人物の口から感想を語らせた。

『写真でよむ　昭和モダンの風景　1935年－1940年』津金澤聰廣監修（柏書房）
『昭和史発掘』松本清張（文春文庫）
『風雨強かるべし』広津和郎（岩波文庫）
『盗聴　二・二六事件』中田整一（文藝春秋）
『昭和　二万日の全記録』（講談社）
『朝日新聞に見る日本の歩み』（朝日新聞社）
『アサヒグラフに見る昭和の世相』（朝日新聞社）

当時発行された『朝日新聞』の縮刷版、『報知新聞』『都新聞』のマイクロフィルムを資料とし、また、

三越百貨店
地下鉄博物館
逓信総合博物館
日本カメラ博物館
女子学習院御卒業の方

の資料並びに、貴重なお話を参考にさせていただきました。

＊

その後ある方から、「獅子と地下鉄」に出て来る三越のエピソードについて聞かれた。ああいうことが実際にあるのか――という問いである。日本橋三越入口の壁にある説明板の言葉を引くのが、最も手っ取り早い答えとなるだろう。曰く――

このライオン像は、〝必勝祈願の像〟として、誰にも見られずに背にまたがると念願がかなうと言い伝えられ、特に受験生の間に人気があります。

《特に受験生》というが、わたしは受験以外でまたがったという話を聞いたことがない。いい大人がやるより、学生の縁起かつぎの方が似合うだろう。この作を書く時、三越の方のお話もうかがったが、今も受験シーズンになると親御さんから《いつ頃、乗りに行くと、人に見られないのでしょうか》という問い合わせがあるそうだ。

一般的になったのは戦後だが、いつ誰が始めたかは不明——ということであった。なぜライオンに乗るといいのかも不明である。都市伝説というのは、そうしたものだろう。いずれにしても、最初に乗った誰かはいたわけだ。

ここからは想像になるわけだが、——その誰かは、戦前にいたのかも知れない。

さて昭和十年、夏の帝都の夜空を、（声の）ブッポウソウが鳴き渡ったというのも事実である。『日本野鳥記』（小林清之介）によれば、

七月二十六日（代々木）
　二十七日（小石川・本郷方面）
　二十八日（滝野川）
八月　五日（善福寺・石神井・吉祥寺方面）

と、東京中を移動している。あり得ないことが、なぜ起こったか。目黒の愛鳥家のもとで飼われていたコノハズクが逃げた――というのが、真相であった。しかし、そのことは事情があって伏せられた。当時の都民は、深山の鳥の声を耳にし、首をかしげたことだろう。

また、この年十月八日、細川家能楽堂において、梅若万三郎が、何を思ったか面をつけて『鷺』を舞ったことも、いくつかの記録に残っている。

ことを見つめるのは人である。これらの様々な出来事の中に、登場人物達はいた。

北村　薫

初出　「不在の父」　　オール讀物二〇〇八年一月号
「獅子と地下鉄」オール讀物二〇〇八年六月号
「鷺と雪」　　　オール讀物二〇〇八年十二月号

JASRAC　出0903029-901

北村　薫

1949年、埼玉県生れ。
早稲田大学第一文学部卒業。
大学在学中はミステリ・クラブに所属。
高校で教鞭を執りながら、
84年、創元推理文庫版日本探偵小説全集を
編集部と共同編集。
89年、「空飛ぶ馬」でデビュー。
91年「夜の蟬」で日本推理作家協会賞受賞。
著書に「秋の花」「六の宮の姫君」「朝霧」
「冬のオペラ」「水に眠る」「スキップ」
「ターン」「リセット」「街の灯」
「ひとがた流し」「玻璃の天」などがある。
またアンソロジーのシリーズ
「謎のギャラリー」などにも
腕をふるう《本の達人》である。

鷺と雪

二〇〇九年四月十五日　第一刷発行
二〇〇九年七月二十五日　第三刷発行

著者　北村　薫
発行者　庄野音比古
発行所　株式会社　文藝春秋
〒102-8008　東京都千代田区紀尾井町三―二三
電話　〇三―三二六五―一二一一
印刷所　凸版印刷
製本所　加藤製本

ISBN978-4-16-328080-6